CW00434568

FERNANDO PALACIOS MORENO

CUENTOS DES(DE) LA

PATAGONIA

Edición: Fernanda Ruiz
Corrección y maquetación: Abel Viotti
Imagen de portada: Piki Superstar

Cuentos des(de) la Patagonia – 1a ed. – Editorial Rubin, 2023.
Antología de cuentos cortos.

Copyright © 2023 Editorial Rubin © 2023 Fernando Palacios Moreno

Todos los derechos reservados. Prohibida la reproducción total o parcial de esta obra dentro de los límites que establece la ley y sin previa autorización escrita de la editorial. Los derechos de este libro están suscritos a la ley 11.723.

San Luis, Argentina, 2023 ISBN: 978-631-00-1287-2

FERNANDO PALACIOS MORENO

CUENTOS DES(DE) LA
PATAGONIA

ꝋR

Prólogo

Todos los relatos son inéditos, salvo los tres últimos, *El mate de José* que apareció en el libro colectivo *El Mate. Cuentos, Historias y Relatos*, publicado el año 2017 por El Imaginero Ediciones, como resultado de un concurso organizado por la Sociedad Argentina de Escritores Filial Misiones. Tuve la suerte de ser seleccionado y la fortuna de poder exponer en su lanzamiento en la 43ª Feria del Libro de Buenos Aires de ese mismo año, el que fue mi primer cuento publicado. *La caleta y la peste*, publicado en el libro *Concurso de Cuentos Juan Bosch VI* (versión del año 2021) y *Amor 2020* publicado en *Tiempos difíciles. Crónicas latinoamericanas de pandemia y crisis social*, Concepción, Editorial Universidad de Concepción, 2021.

Todos los cuentos fueron escritos en la Patagonia, algunos pueden situarse en ella, otros no.

Algunos relatos tratan sobre hechos pasados que ocurrieron en la realidad y otros sobre hechos pasados que pudieron ocurrir, pero que nunca acaecieron de la forma en que acá se lee.

Algunos cuentos versan sobre hechos que podrían ocurrir y otros sobre hechos que no creo que acaezcan nunca o al menos hasta donde nuestra memoria llegue.

Algunos relatos tratan sobre la muerte y todos sobre la vida.

Todos han sido escritos para mí y para ustedes.

CUENTO SIN TÍTULO

Eran las cinco de la tarde y le dije que le contaría una historia que me gustaba mucho de niño, pero que era un poco extensa como para hablarla por teléfono. Me dijo entonces que cuando nos viéramos, podría contarle la historia.

Quedamos de almorzar hoy por primera vez, con el aliciente de tener una muy buena historia que contar yo y ella una muy buena historia para escuchar.

Pero son las diez de la mañana y esa historia no existe.

Sinceramente no sé por qué le dije eso, quizás porque desde hace algunas semanas pienso casi todo el día en ella y quería decirle algo nuevo o quizás porque me gusta demasiado y hubo un segundo en que no se me ocurrió qué decirle y le dije lo de la historia, por decirle algo. Pienso que pudo haber sido peor, por lo menos fue buena excusa para verla y me quedan dos horas para armar una historia antes de encontrarme con ella en un restaurante de comida mexicana que eligió.

Me queda poco tiempo, así que empiezo a escribir lo que le diré:

En un pueblo muy lejano, en un tiempo algo perdido, había cuatro animales que vivían en una granja.

El perro se llamaba Alberto, la gata se llamaba Beatriz, el cerdo se llamaba Carlos y la gallina se llamaba Daniela.

Los cuatro vivían felices y jugaban desde que despertaban hasta que se dormían. Tenían un bebedero para refrescarse y la granja les daba toda la comida necesaria para estar sanos y satisfechos.

La felicidad de Alberto, Beatriz, Carlos y Daniela era la comida y el agua. Amaban el sol y la tranquilidad en verano y la lluvia fresca y la paz por inverno.

Pero el granjero no aparecía.

Ese era el misterio de la granja y lo que intrigaba al perrito, a la gatita, al cerdito y a la gallinita, cuando por las noches conversaban antes de dormir sobre la paja seca y calentitos por el fuego de la chimenea.

Muchas veces se preguntaban qué sería del granjero, que nunca veían, pero por las mañanas se olvidaban del misterio, porque tenían siempre el desayuno preferido al lado de sus camitas cuando despertaban y aún había brasas en la chimenea y los días eran lindos como la vida.

Y así pasaron los años los cuatro amiguitos, felices, contentos, comiendo y jugando, sin saber que el granjero era su benefactor, pero era muy tímido, sin sospechar que todas las noches les preparaba el desayuno y que por las madrugadas echaba leña al fuego y que sembraba la granja y cosechaba los alimentos cuando los animalitos no los veían.

El granjero les preparaba sus camas mientras ellos corrían y jugaban y cuando se dormían, les contaba cuentos como este, para que sus sueños fueran profundos y sin miedos y todavía el perrito Alberto, la gatita Beatriz, el cerdito Carlos y la gallinita Daniela viven felices en la granja, junto al granjero que no ven, pero que siempre han querido.

Bien, acabo de terminar de escribir la historia, la imprimiré y le diré que la lea como un regalo, y que ella le coloque el título a la historia, el que ella quiera. Va a ser un mejor título que cualquiera que yo pudiera imaginar.

Le diré que mi papá me contaba esa historia cuando era niño y que me acordé de esta mientras hablaba con ella.

Ojalá no me pregunte por qué me acordé de ella por ese cuento, porque ahí no podría mentirle, y tendría que decirle que tuve que inventar esta historia; y si sigue preguntando por qué le dije lo que le dije, tendré que decirle que podría escribirle todos los días lo que ella quisiera, con tal que me sonriera cuando seamos viejos y que me besara ahora mismo.

EL HALLAZGO

Encontré el cadáver. Por la rigidez, la muerte no fue reciente y por la pestilencia, la muerte tiene que haber sido lejana.

Llamé a la policía y llegaron a los veinte minutos.

—¿Cómo encontró el cadáver?

—Soy el dueño de este local.

—¿Desde cuándo?

—Compré este negocio hace dos años, poco más de dos años.

Tomaron mis datos y me citaron a declarar al día siguiente.

Al salir del negocio me descompuse, náuseas y mareos, nunca había presenciado un cadáver en ese estado y esperaba nunca volver a estar en una situación como esta. Dormí poco y a sobresaltos esa noche. Desperté y lo primero que hice fue escribirle por WhatsApp a mi secretaria para decirle que me ausentaría toda la mañana y quizás por la tarde, pero que le avisaría de todos modos a eso del mediodía si volvería al trabajo o no. No vio mis mensajes.

Partí luego de ello al interrogatorio que fue extenso, no sólo me preguntaron como anoche desde cuándo era dueño del local, sino que querían saber qué hacía en mi negocio cuando encontré el cadáver. La verdad no tuve respuesta satisfactoria a esa pregunta.

No recuerdo por qué estaba en mi local a esa hora. La jornada de la mañana termina a la una de la tarde, reabrimos a las tres y cerramos a las siete en punto, salvo si algún cliente permanece con nosotros, en cuyo caso terminamos de atenderlo para finalizar la jornada.

Encontré el cadáver a las tres de la madrugada y no recuerdo qué hice desde que salí de mi negocio hasta que lo vi detrás de la caja pagadora con unos papeles desparramados sobre su estómago.

No le conté nada de todo esto a mi secretaria. De hecho, no hablé con ella en todo el día. No tenía ganas de hablar con nadie y nadie quiso hablar conmigo, lo que agradecí.

Recuerdo que cerramos el local y ahora nuevamente son las tres de la madrugada y hay otro cadáver, juraría que es el mismo de ayer, pero sé que eso es imposible.

Tiene el mismo olor a podredumbre, a comida descompuesta al sol y la misma rigidez. Esa mano izquierda alzada y quieta que parece estar llamando a alguien o algo que yo no puedo ver, pero que presiento existe.

No sé si llamar o no a la policía y no sé si dormir o no como lo hago en el cementerio desde hace tres meses, el día de mi asesinato.

EL AUTO USADO

Compré un auto usado. No tenía dinero suficiente para uno nuevo, y como lo quería sólo para ir al trabajo, uno de esas características me parecía bien.

No sé nada de mecánica, así que le pedí a un amigo que me acompañara a la automotora para revisar los vehículos que me interesaban. Eran tres. Al final de la revisión, me quedé con uno, el más económico y el que tenía menos kilometraje.

Lo saqué de la automotora, luego de haber firmado los papeles, y partí a mi casa. Llegué sin ninguna novedad a mi hogar, estacioné mi nuevo y usado automóvil rojo y dormí una siesta.

Tuve un sueño extraño, estaba en la casa de mis padres, no en la de ahora, sino en el departamento donde vivimos hasta mis veinte años, me asomaba por la ventana y veía mi auto rojo, ahí centré mi atención. Estaba ahora al volante por una carretera de noche, sin más iluminación que los focos del coche y de la luna llena. No me sorprendió que, siendo niño, de no más de diez años, condujera con total seguridad. Mientras pensaba en eso, vi una luz cegadora y un sonido como de un trueno que lo sentí en todo mi cuerpo. Túnel y silencio, sosiego y paz. Luego desperté.

Ocupé mi auto sólo para trasladarme de mi casa al trabajo y viceversa, hasta el día de ayer. Me llamó el mismo amigo que me acompañó a comprar mi auto usado, me dijo que se sentía pésimo, estaba en su campo y no tenía cómo ir al hospital. Pensé que podría haber llamado una ambulancia, pero lo único que le dije fue que partiría a recogerlo apenas terminásemos de hablar.

Y eso hice.

La carretera me parecía conocida, aunque nunca había transitado por ella y había una luna llena preciosa. En el camino, el cielo se nubló y empezó a llover fuertemente, nada extraño en estos lugares. Vi por el espejo retrovisor lo que sólo pudo ser un relámpago y a los segundos un trueno, y luego un camión me chocó de frente.

Tuve suerte, salí ileso. Según los paramédicos que llegaron al lugar, fue un milagro para mí, no así para el conductor del camión, que tristemente falleció al momento del impacto.

También falleció esa noche mi amigo, luego que llegasen los paramédicos me acordé de él y lo llamé. No me contestó, así que les informe de esa situación a ellos y partimos a su casa. Quedaba a sólo unos kilómetros del lugar del accidente.

Llegamos, toqué la puerta, nadie abrió. Lo llamé por su nombre a gritos y decidí romper una ventana para entrar.

Ahí estaba, en el suelo, boca abajo. Los paramédicos trataron de reanimarlo, pero llegamos tarde. Tenía cuarenta y dos años, sin antecedentes de enfermedades cardiovasculares, y, aun así, un infarto al miocardio fue la causa de su muerte.

Mañana será su funeral y volví a tener un sueño extraño. Era el mismo sueño que tuve el día de la compra de mi auto usado o eso es lo que creo, pero antes de estar conduciendo por la carretera, iba al funeral de mi amigo y después tomaba un avión, se estrellaba y moríamos todos en ese accidente.

Pasado mañana comienzan mis vacaciones y hace dos meses compré los pasajes en avión para estar unos días en un resort que él me había recomendado.

SEÑALES

No sé reconocer señales, no soy del espectro autista, ni asperger, ni nada. Sólo tengo dificultades para reconocerlas, en especial las típicas del flirteo, las que puedo identificaren películas románticas, pero que en la vida real se me escapan.

Así fue cómo me divorcié, creyendo el último año de convivencia que ella era feliz conmigo, cuando era feliz con otro. Y así es cómo me he vuelto a enamorar creyendo que era una buena amiga.

Nos conocíamos hace un año, trabajamos para la misma empresa, pero en áreas distintas. Ella en selección de personal y yo en el área contable.

En principio no tenemos laboralmente mucho en común, salvo que prestamos servicios para la misma firma, pero en la hora de almuerzo, solíamos sentarnos en la misma mesa en el casino de la empresa. Los dos con audífonos, nos saludábamos y silencio, hasta que uno terminaba, generalmente yo antes que ella, nos despedíamos con gestos de la mano y eso era todo.

No supe su nombre sino a los meses de tal rutina.

Un día se me olvidaron mis audífonos. Ella se dio cuenta, se sacó los suyos y nos pusimos a hablar. Hablamos y hablamos de todo y de nada, como si nos hubiésemos conocido desde siempre.

Reímos y nos olvidamos de que teníamos que volver a nuestras oficinas, llegamos tarde, nuestros jefes nos preguntaron qué nos había pasado y ambos mentimos diciendo que nos sentíamos algo descompuestos. Nos enviaron a nuestros hogares, nos encontramos a la salida de la empresa y luego de confesar la mentira, decidimos ir al cine.

Vimos dos películas, en algún momento ella recostó su cabeza en mi hombro izquierdo y me encantó. Me gustó su perfume, que por primera vez notaba, y su pelo castaño claro y delgado que caía sobre su hombro, que por primera vez veía y que quería tocar, pero no me atreví.

Así estuvimos por meses, yo creyendo que ella me veía solo como un buen amigo y yo entre queriendo besarla cada vez que la veía y al mismo tiempo pensando en ella solo como una amiga.

La trasladaron a la sucursal de la empresa que se encontraba en los suburbios de la ciudad. Dejamos de almorzar juntos en el casino de la empresa y la empecé a extrañar.

La llamaba casi todos los días y ella hacía lo mismo.

Me contó un día que estaba conociendo a un compañero de trabajo y dejé de llamarla. No sabía qué hacer.

Un viernes llegó a mi oficina. Era casi la hora de almuerzo. La vi y supe que quería verla todos los días de mi vida.

Me vio y sonrío, y cuando se acercó la besé.

Nos besamos como si estuviésemos solos, pero alguien aplaudió y ahí nos dimos cuenta de que mis compañeros de oficina nos estaban mirando.

Los dos nos sonrojamos y fuimos a almorzare la mano.

Me dijo que desde el primer día que hablamos quería estar conmigo y que lo había insinuado muchas veces. Cuando le pregunté cuáles fueron esas ocasiones, me respondió que, desde el principio, todas las veces que almorzábamos juntos ella rozaba su pierna con la mía.

Y yo que pensaba que era algo inquieta, de haber notado esa señal, hubiésemos estado juntos hace meses.

EL ÚLTIMO CRUCE

Lo conocí de casi noventa años, pero aún cortaba su propia leña y picaba sus propias astillas para hacer fuego.

Nunca quiso ser homenajeado por vivir como vivía y le prometí no revelar su nombre a nadie. He cumplido mi promesa y lo seguiré haciendo. Una de sus historias es esta, la transcribo tal y como él me la contó un sábado por la tarde, con nieve golpeando el techo de lata de su casa, con el fuego que nos abrigaba y un mate amargo que él servía.

Recién salía de mi pueblo, tenía doce o trece años. Ayudaba en el campo a mis padres desde niño, era el mayor de cuatro hermanos y no alcanzaba lo de mi padre y lo de mi madre para vivir. Así que me fui de la casa. Iba recomendado, tendría que presentarme ante don Jaime, quien fue patrón de mi padre, en una estancia allá pa'l sur, cuando yo aún no nací.

Llegué y allí estuve con mi patrón casi diez años, pero antes de llegar, pasó esto. Iba a caballo, había que cruzar un río y no podía dejarlo, así que pasaría conmigo.

Lo dejé solo con las riendas, así me había enseñado mi tío Ernesto que se hacía cuando uno debía cruzar un río, para que el animal pudiera respirar mejor.

Cuando cruzamos, me acordé de mis pilchas. Estaban al otro lado, colgadas en una rama junto con el apero.

Dejé el animal pastando e iba a cruzar solo. Pensé que no necesitaba al caballo, que el río no era tan hondo y la corriente no era tan fuerte.

Así que nadé a la otra orilla, descansé unos minutos y creo que hasta dormí un poco.

Tomé mis pilchas y el apero, me las amarré a la espalda y a cruzar de nuevo.

A mitad de camino, un ruido fuerte. Comenzó a llover, creció el río y me fui con él.

Esto primera vez que lo cuento, m'ijo, porque soy hombre y porque he aprendido a creer en Dios y esas cosas, pero solo un poco y ya que estoy viejo, un poco más ahora que cuando la muerte era lejana.

Vi a la Virgencita, m'ijo, a la Virgen —y señaló una pequeña y desgastada figura de yeso de la Virgen que estaba encima de una pequeña repisa cerca de la estufa—. *En ese momento no sabía que era ella. Era joven, de pelo negro, más negro que cualquier noche que hubiese visto; y sus ojos eran grandes, no* sé qué sentí cuando los *vi. Para serle sincero, ahora tampoco podría decírselo. Pero la vi, y me tomó por acá, por el* cuello, como si fuese un *cachorro. Me levantó y sacó del río, no me dolió nada.*

Me dejó boca abajo en la ribera. Mi caballo acercó su hocico y lo toqué un poco con mi mano derecha. Me di vuelta para darle las gracias, porque mi madre siempre me enseñó a ser agradecido, pero no estaba.

Era muy joven como para haber estado bebido, pero ya pelaba el ajo, así que juro que lo que vi fue a la Virgen.

En ese momento no sabía que era ella, a mí nadie me había enseñado de Dios ni de ángeles y nunca había estado en una iglesia. Recién fui bautizado cuando me casé de viejo, a mis treinta años. Supe que era ella después de un tiempo, cuando era más grande y mi patrón me pidió que lo acompañara a unas diligencias en la ciudad. Allá fuimos y pasamos a una iglesia, porque ya sabía lo que era una. Cuando entramos la vi, y ahí supe que ella me había salvado.

Sin su ayuda, m'ijo, no hubiese vivido todos estos años, ni tenido mi mujer al lado, que se fue hace poco, ni siete hijos, ni mis diez nietos y mi bisnieta, esa niñita que ya con dos años habla mejor que yo, de la que le conté el otro día.

Nunca más lo vi desde esa tarde fría y de nieve espesa. Creo en su historia. Sólo espero que al igual como le ocurrió en ese río, en su último cruce, lo hayan estado esperando.

ENCRUCIJADA

—Estamos reunidos acá para decidir qué hacer. Silencio en la asamblea. Se había constituido a las dos semanas de la gran catástrofe, ocurrida hace un año. Las comunicaciones se mantuvieron de forma intermitente por un día, tiempo suficiente para saber que la catástrofe fue global, sin que ningún territorio haya podido escapar de sus consecuencias.

Hace un año, el pueblo quedó sin ningún contacto exterior. Como estaban vivos, asumían sin lógica alguna que otros podrían estarlo. No hubo ninguna señal del exterior, salvo el vuelo de un dron la primera semana, artilugio que fue derribado de un disparo y que no proporcionó más información cuando se lo rescató inutilizado en un roquerío en el mar.

El jefe retomó la palabra.

—Somos autosustentables, tenemos leña, pescados, ganado menor y agua. Lo suficiente para continuar sobreviviendo. O podemos mandar exploradores para avanzar hacia el pueblo vecino, pero sin saber qué ganaremos con ello. Esas son las opciones que tenemos.

Estimo que lo mejor para nosotros es quedarnos como estamos, seguros en la medida de estas circunstancias y mejorando los sistemas de siembra, cosecha, recolección y distribución de alimentos y recolección de leña.

—Remedios —gritó una voz al fondo de la asamblea, y hubo aplausos.

—Sí, remedios. Acá ya no tenemos y el vecino puede que tenga. Aunque sin remedios, las yerbas nos han procurado alivio como antes y podríamos seguir así.

—Pero ya murió don Juan por una infección —habló la consejera situada a la izquierda, del jefe, como era ya habitual — y nada asegura que no tendremos casos similares. Con una simple inyección de penicilina se hubiese curado, pero no teníamos nada.

—¿Nos quedamos o avanzamos?

Ante la pregunta del jefe, nuevamente silencio y esta vez más prolongado.

Unos niños lloraban cerca del escenario donde los consejeros de pie y el jefe en una silla podían ver a todo el pueblo, que se había reunido en el gimnasio para esta asamblea extraordinaria.

El consejero rompió el silencio.

—Partiré yo con dos voluntarios, si es que así se decide, ahora mismo.

Hubo aplausos y llantos, cosa cada vez más común en las asambleas y en todos los lugares donde se reunían más de dos personas. Subieron en pocos minutos diez voluntarios al escenario. Hubo votación a mano alzada, como se hacía desde hace un año para tomar todas las decisiones en el pueblo. Los mayores de diez años elevaron sus manos para elegir a sus candidatos. Dos voluntarios fueron los elegidos para la exploración que acompañarían al consejero.

La exploración duró dos días.

En el primer día de caminata, no hubo sobresalto alguno. Sólo divisaron dos vacas en un campo al lado del camino principal. Llegaron al cruce recién comenzada la noche y allí acamparon. El cruce los podía llevar al pueblo del este o al del oeste. El primero quedaba diez kilómetros más cerca, y por eso se había decidido en la asamblea que ese era su destino.

Avanzaron dos horas, cuando tres disparos certeros acabaron con las vidas de los exploradores.

El pueblo del este había enviado hace dos meses a treinta y dos cazadores, distribuidos en cuadrillas, cubriendo el camino que los unía con los pueblos vecinos.

Hace cuatro meses se habían apoderado del primer pueblo, anexándolo al suyo. En una semana harían lo propio con el pueblo del primer y último jefe.

MI GUITARRA Y YO

Encontré mi guitarra, debo decir mi primera guitarra. No recuerdo ya cómo llegue a tenerla, probablemente mis padres me la regalaron. Para clases de música en la escuela tenía que llevar un instrumento y ese me gustaba.

Recuerdo con ella a mis amigos, cuando nos juntábamos en una esquina para conversar o en paseos con ellos o solo en mi habitación y cuando estaba con alguna mujer, las primeras veces que estuve con algunas, también estaba la guitarra presente. Después de hacer el amor, tocaba para ellas, sin demasiado talento, pero canciones que les gustaban.

No recuerdo cuándo la dejé, pero desde ese momento han pasado muchos años y con el tiempo simplemente no la toqué más. Quizás por las obligaciones de adulto, los trabajos pendientes y los clientes llamando sábados y domingos donde estuviese, la convivencia y los hijos, los créditos y las hipotecas, cuestiones que apreciándolas en la lejanía de este pequeño cuarto me parecen cada vez más banales.

Me casé tres veces y enviudé hace un año; varios amigos los he perdido en el camino, otros han partido, algunos han llegado y ahora estoy solo en un hogar de ancianos, donde no conozco a nadie y para ser sincero, no tengo mayor interés en conocer a personas que pronto partirán o quizás sea yo el que deje el hogar antes que ellos.

Todas las semanas hay cambios, entran algunos en la medida que alguna habitación se desocupa. Todos hacemos como que no nos enteramos de estos cambios, pero es lo único que marca la diferencia entre días iguales y tediosos.

Me cuesta recordar nombres, aunque con esfuerzo logro captarlos casi todos. No sé si mi guitarra tenía o no alguno, a veces creo recordar cómo se llamaba y otras veces podría asegurar que nunca tuvo un nombre particular.

Desperté ayer y mi guitarra estaba a los pies de la cama. Me sorprendió y confieso que ya casi no hay sorpresas en el ocaso, así que esta fue una de las grandes y de las más gratas que he vivido.

21

La tomé con delicadeza. Era la misma de siempre, tan desgastada como la última vez que la toqué, aunque la sentía algo más pesada. La coloqué sobre mi pierna derecha, la afiné en unos minutos, toqué unos acordes y lloré.

No lloraba desde el último funeral al que asistí. Esta vez lo hice hasta que me adormecí y casi me caigo, si no fuera por mi guitarra, que se deslizó de mi pierna y al tocar el suelo con el ruido que produjo me enderecé.

Mañana llevaré la guitarra a la sala común, donde hay un televisor grande y sillones. Siempre hay ancianos como yo en esa sala y quizás toque alguna canción que recordemos todos a la hora de la siesta.

No sé quién dejó la guitarra en mi habitación y tampoco quiero saberlo. Practicaré algunas canciones y mañana será un día diferente.

Intento no pensarlo, pero si llegó mi guitarra, quizás alguno de estos días lleguen también amigos que he perdido y mis hijos que ya no veo, pero por ahora sólo estamos mi guitarra y yo.

LOS MISMOS

Puede que esta historia sea inverosímil, pero es verdadera, o al menos eso creí cuando la escuché por primera vez. Era un niño entonces, pero la sigo creyendo ahora con treinta y nueve años. Fue en una reunión familiar para celebrar la titulación de mi tía Andrea. Recuerdo que fue la primera vez que vi muchas botellas de vino sobre una mesa. Cuando estábamos comiendo como postre una torta de chocolate, mi abuelo contó esta historia:

Estaba con unos contingentes en un bar, nos encontrábamos de gira desde hace meses y cuando recalábamos en un puerto, lo primero que hacíamos al pisar tierra era ir a algún bar y eso hicimos.

Nos quedaban tres meses, más o menos, para volver a nuestras casas, lo que nos daba cierta nostalgia. Aun así quisimos salir y divertirnos.

Entramos al primer bar que vimos abierto, un bar de puerto, con mesas y sillas viejas, la barra algo sucia con unos asientos sin respaldos, una máquina donde salía cerveza en vasos grandes, no creo que el más pequeño haya sido de menos de medio litro y el más grande ya no era un vaso, eran jarrones de hasta dos litros.

Comenzamos como siempre con cortos de whiskeys. Los pedíamos triple, y cuando pedimos una ronda de cervezas, nos encontramos con nosotros.

Ahí hubo un pequeño silencio y luego risas, recuerdo que todos respetábamos al abuelo y yo lo quería muchísimo, así que no me reí, pero los adultos lo hicieron. Él seguía serio y cuando notaron que su semblante no cambió, el resto guardó de nuevo silencio y preguntaron si era verdad lo que decía. No respondió, pero siguió hablando como si no lo hubiesen interrumpido.

Éramos nosotros, pero no lo éramos realmente. No podíamos ser nosotros, pero los tres que llegaron al bar, pese a estar vestidos de paisanos y no de marinos, éramos nosotros. Mismos rostros, mismos cortes de cabello, dos con bigotes y uno afeitado, igual modo de caminar. No había bebido tanto como para no estar consciente de lo que veía y mis amigos habían consumido lo mismo que yo. Se sentaron al lado nuestro y conversamos toda la noche.

No nos llamó la atención, sino hasta el otro día, que le entendiésemos lo que nos decían pese a que hablaban alemán. Estábamos en el Puerto de Hamburgo, todos por primera vez, y ninguno de nosotros sabía de ese idioma más palabras que «hola», «adiós», «gracias» y quizás dos o tres más, pero no podríamos haber sostenido una conversación en esa lengua ni con un niño de cinco años.

Sin embargo, conversamos, nos reímos y pedimos más cervezas hasta que cerró el local.

Nos hablaron de nuestro futuro, y todo se ha cumplido. A mis dos amigos le dijeron que morirían en ese viaje, y ustedes saben que naufragamos al salir de Hamburgo y fuimos pocos los sobrevivientes. Mis amigos engrosaron la lista de fallecidos cuyos cuerpos nunca fueron encontrados. Esta historia se las he contado desde siempre, pero nunca les había hablado de este encuentro con los alemanes, que éramos nosotros.

Mi abuelo interrumpió en ese punto el relato y ya ni mis padres ni tíos ni nadie se reía. Esa fue la primera vez que sentí miedo, porque cuando me miró supe cómo terminaría la historia.

Se levantó de la mesa, tomó la copa de vino que tenía al frente, la llenó hasta el tope, la alzó e hizo un brindis por su única hija Andrea, por su título de ingeniero que había obtenido con honores y cuando quiso continuar, cayó al suelo.

No recuerdo mucho más de ese día. En algún momento llegó una ambulancia y a los dos días fui al primer funeral de mi vida.

Desde su muerte, mi mayor miedo es encontrarme conmigo mismo. He leído historias como las de mi abuelo y no sé si serán ciertas o no. Prefiero olvidar esa reunión familiar y creo que esta es la primera vez que le cuento a alguien lo que pasó ese día. No sólo por lo extraño de todo, sino especialmente porque mi abuelo, unos meses antes de su fallecimiento, me dijo como al pasar, mientras me compraba un helado de naranja en un negocio cerca de su casa, que un día me encontraría conmigo mismo y ese día sería feliz.

MI PLANTA

Creo que me estoy volviendo loco. No, estoy loco.

Nunca había tenido una planta. La semana pasada compré una y me habló. Nunca he consumido drogas, salvo alcohol y tabaco que dejé hace algunos años, así que descarto alguna alucinación producto del consumo de estupefacientes.

Aparte de las conversaciones con mi planta, no ha ocurrido nada que destacar esta semana.

El cementerio es un lugar muy solitario.

REUNIÓN FRUSTRADA

—Buen día ¿cuánto cuesta esa revista? —pregunté.

—Dos mil pesos —me respondió el quiosquero.

Me pasó la revista y yo le entregué el billete.

Así partió mi día. Caminé hasta la esquina para cruzar la calle y cayó mierda de paloma en mi camisa.

Tenía una reunión importante. Llamé a la secretaria para decirle que me retrasaría, me devolví a mi departamento y me cambié la camisa. Nuevamente en la esquina y nuevamente excremento de paloma.

Esta vez no llamé a nadie, ya no tenía tiempo. Al llegar a la oficina, lo primero que hice fui entrar al baño, con agua y papel higiénico limpié la camisa, y pese a que yo la notaba sucia, la chaqueta cubría la pequeña mancha.

La reunión fue un fiasco, íbamos a cerrar un negocio, el mejor negocio del año, y el potencial cliente desistió, a instancias de sus asesores. Uno de ellos, una para ser preciso, era mi exesposa.

La conocí hace cinco años. Al año de conocernos, comenzamos a salir. A los meses me mudé a su departamento; a los dos años nos casamos en una ceremonia con pocos familiares y aun menos amigos; y casi al año de matrimonio ya estábamos separados y el divorcio de común acuerdo lo firmamos no hace mucho.

—Excelente reunión —me dijo.

—Pensaba hacerte un regalo después de cerrar el negocio —contesté displicente.

—No era necesario ningún regalo.

Sin despedirse, dio medio vuelta y se fue.

Supe a los días que mi ex era la nueva pareja de nuestro frustrado cliente. También supe que usaban palomas mensajeras para enviarse poemas de amor cada mañana.

Quizás fue alguna de sus palomas la que manchó mi camisa ese día, aunque no lo creo probable, son muchas y ellos viven en otro barrio de la ciudad, a kilómetros del mío.

Aun así, haré un reclamo ante el Servicio Nacional del Medioambiente, por un eventual caso de maltrato animal. No está permitido el uso de animales para fines que no sean de utilidad inmediata para el ser humano, siempre que no existan medios alternativos para conseguir los mismos fines, como reza la normativa. Unas palomas para enviar mensajes, existiendo tantas aplicaciones en todos los teléfonos para ello, constituye un caso ostensible de maltrato. Al menos, esa será la tesis que defenderé hasta las últimas instancias.

Como después de la reunión me despidieron, así ocuparé mi tiempo, antes de ver qué haré más adelante.

BUSCANDO LEÑA

La panga estaba ahí, abajo en el muelle, no había leña, se había acabado la noche anterior, la escarcha devino en una capa de hielo por la madrugada y el invierno se había adelantado este año algunas semanas. Parecía querer nevar, caía plumilla y tenía las manos rojas de tanto frío. El mar estaba bravo, el viento hacía que se levantara el oleaje y costaría que arrancara el motor.

La moto sierra estaba cubierta con una lona y tenía mezcla suficiente para cortar dos metros de leña, que alcanzaría para la semana.

No haría un campamento, tenía que volver a su casa ese mismo día, porque sin leña el frío sería insoportable y su abuela que vivía con él, hacía años que no podía salir de su casa por sus propios medios. Si alguna vez lo había levantado en sus brazos, esos días no volverían más. Se aferraba a sus últimos días, esperando el final que llegaría más pronto que tarde, y por ella haría lo que haría.

De haber vivido solo, no hubiese zarpado esa mañana. En una embarcación de madera, de las pocas que quedaban de ese material, navegar con viento norte y de más de treinta nudos no era recomendable. Ni siquiera para don Francisco, que había hecho ese viaje desde los ocho años como acompañante de su padre y que, con casi sesenta, no recordaba su vida sin el aire golpeando su cara arriba de una panga.

Desamarró la nave y zarpó sin problemas, en poco más de dos horas llegó al monte. Amarró la panga y bajó como siempre. Se echó la moto al hombro, las botas tocaron el suelo húmedo y a cada paso, las huellas fueron más profundas.

Hizo los dos metros de leña, también había entre ella de resaca y ya estaban encima de la panga. Cubrió la motosierra como en la mañana y cuando desamarraba la nave para zarpar a casa, oyó el rugido de un puma.

Lo había escuchado por primera vez a los once años y hoy le sonó como entonces. Estaba cerca. Con el ruido de la copiosa lluvia y de la moto cuando cortaba la leña, no lo había oído al acercarse.

Era su fin, o al menos eso fue lo que creyó, pero su abuela necesitaba la leña.

Siempre salía con su escopeta a las faenas, pero esta vez la había dejado en su casa. No reparó en ello hasta ese momento. Se levantó muy rápido esta madrugada, no alcanzó siquiera a tomar mate como solía hacerlo antes de desayunar, porque sólo quería que el frío se fuera de su casa y con el apuro, dejó la escopeta recostada al lado de la puerta.

El puma estaba cerca y lo vio, majestuoso, como pocos lo veían en estos días y como aún menos lo verán en el futuro.

La bestia se agazapó, rugió de nuevo y se lanzó al cuello de don Francisco. Tenía la moto y se protegió con ella, pero le desgarró el antebrazo derecho y no vio cómo el puma luego de ese primer ataque se agarró de su cuello y no lo soltó hasta que dejó de moverse.

Su abuela, doña Petronila, lo esperó todo el día. Tendría que haber llegado no más allá de las cuatro de la tarde, y a las siete, supo que todo había acabado.

Nevaba muy fuerte y la estufa estaba apagada. Sin leña, el frío se la llevaría.

Se acostó a las siete y media sin sacarse la ropa, pero ni sus prendas ni las colchas la protegían del frío. No tenía ya veinte años, ni siquiera cincuenta, a los ochenta y nueve no soportaría la helada y no podía hacer nada.

Pasó esa noche, el día siguiente y cuatro días más.

Uno de sus nietos entró a la casa el quinto día y la encontró acostada y quieta, fría y como esperando algo. Supo al verla que su abuela se había ido, llamó a la posta y fueron a buscarla.

Lo que quedó del cuerpo de su tío Francisco lo encontró uno de sus hermanos ese mediodía, así que enterraron juntos a doña Petronila y a su hijo.

La noche del funeral, en la casa que fue de ellos, sus familiares hicieron fuego con la leña de la panga. Comieron un asado, bebieron y recordaron a los que se fueron.

El nieto que encontró a su abuela salió a la leñera a buscar más palos para echar a la estufa. Cuando ya tenía en sus brazos astillas y leña, la entrevió entre las sombras, a ella y a su tío.

Nunca le contó de esa visión que duró solo unos segundos a nadie y no tuvo miedo. Algo le dijo que su abuela esperaba esa leña para capear el frío y que por eso y no por otro motivo la pudo ver por última vez esa noche. Su tío se veía más joven y la abuela lo sostenía entre sus brazos.

NOVELA EXITOSA

Esta historia la encontré en una hoja escrita a mano, dentro de una novela que compré en una librería de libros usados.

Confieso que me gustó más este relato manuscrito que la novela de un galardonadísimo autor, cuyo nombre me reservo, por respeto a sus lectores.

Esta es la historia.

Son las siete y cinco minutos, llevo exactamente un día con el cuerpo en mi cama. No me he querido levantar para no importunar y no he querido llamar a nadie, para evitar sospechas.

No sé si la conozco o no, pero está acá. No se ha movido estas veinticuatro horas y yo he procurado no hacer ningún movimiento brusco.

Me duele la cabeza, jaqueca. No he comido desde hace más de un día y tampoco he ingerido líquidos. Por suerte tengo el control remoto a mano y he podido ver noticias.

Han hablado de la desaparición y eventual secuestro de una mujer de treinta y dos años, cuyas características son muy similares a la mujer que yace a mi lado, pero afirman que está viva y eso marca una gran diferencia. Si no se mueve, está muerta, y lleva más de un día sin moverse.

¿Narcolepsia? Esa posibilidad podría acontecer en una película, pero en la vida real nunca he sabido de nadie que de primera fuente o de oídas hubiese conocido aun lejanamente un caso así. Muerta.

Está fría, mucho más que yo. Tengo hambre y sed, pero no quiero molestar.

Siguen las noticias sobre ella, que es la que está a mi lado, y se equivocan. No me gustan los errores, me enseñaron desde siempre que son intolerables y afirman que está viva y no es así.

Me tuve que haber quedado dormido, porque está oscuro nuevamente, y siguen hablando de ella, pero ahora dan sus iniciales: A.C.T.

Así que Act se llama la mujer que a mi lado. Por lo menos puedo ahora referirme a esta mujer así y no sólo como a ella.

No puedo moverme para no importunarlas tripas suenan fuerte por el hambre y tengo la boca reseca. Espero dormir hasta mañana.

Qué días más extraños. Siempre he sido obediente, no quiero molestar, pero tendré que llamar por teléfono para avisar a los noticieros que es mentira que Act esté secuestrada, porque está muerta.

Qué alivio. Como me levanté para llamar, pude disfrutar una comida congelada que tenía y bebí agua hasta el hartazgo.

Los noticieros me informaron que no vendrán periodistas, sino la policía.

Mejor así. Los esperaré parapetado y no será la primera vez que utilice mi mira telescópica.

Tengo un amigo en la policía, y le mostré este relato. Me contó que efectivamente hace siete años hubo un caso similar, con una mujer asesinada, tres policías abatidos por un hombre trastornado y cuyo hechor se suicidó luego de que los efectivos policiales pudieron ingresar a su casa.

Una historia, por tanto, real y mejor que la exitosa novela que no alcancé a terminar.

Para Francisca

—¿Si apostamos algo? —le pregunté.

—¿Algo cómo?

—No sé, si adivinas mi color favorito, vamos al cine.

Juré que el color que ella dijese sería mi nuevo color favorito desde ese momento en adelante.

Hasta esa tarde, mi color favorito era el verde, después de su respuesta, rojo. Así que ahora visto un traje rojo para ir a una audiencia. Como siempre, llevo en una libreta dos o tres nombres importantes y lo demás, en mi portátil cargado al cien por ciento.

Una audiencia rutinaria, divorcio de común acuerdo. Transcurridos treinta y dos minutos, mis clientes obtuvieron la sentencia de divorcio.

Fiesta, eran mis clientes, pero además amigos desde mi época universitaria. Como no tuvieron luna de miel, decidieron tener una fiesta de divorcio para terminar un ciclo no del todo trágico. No tuvieron hijos y quedaron en términos amigables.

Francisca me acompañó a la fiesta. Se veía tan hermosa como la primera vez que fuimos juntos al cine por sólo unas pocas horas. Queríamos disfrutar el fin de semana, porque llevábamos varias semanas con trabajo excesivo y yo quería estar solo con ella y ella lo mismo.

En este punto podría inventar algún giro en el relato para hacerlo interesante. Pero como asumo que este cuento no estará en el índice dentro de los primeros, y podría ser el último, sólo lo escribo para Francisca, la mujer que amo.

UNA HISTORIA PARA MIS NIETOS

Por la mañana fui a la clínica. Acabo de almorzar y tengo demencia senil. Asumo que hay cosas peores, pero esta está en la parte alta de las cosas peores que pueden ocurrir.

He tenido una buena vida, cumpliré pronto los setenta años, sigo enamorado de mi mujer, nuestros hijos están grandes y los amo y nos aman y mi único nieto cumplirá un año la próxima semana.

Escribo esto porque ya empiezo a tener olvidos prolongados y quiero dejar esta pequeña historia para él y para los nietos que vendrán en camino, si es que llegan.

Ocurrió cuando tenía veinte o veintiún años y es la primera vez que contaré esta historia, porque he sido un hombre serio toda mi vida e incluso para mí mismo resulta inverosímil lo que sucedió esa noche.

Fuimos cuatro amigos a acampar por tres días en vacaciones de verano. Teníamos dos carpas. Llevábamos comida y mucho alcohol. En esos tiempos comenzaba a conocerse la marihuana y uno de ellos tenía para fumar un poco. Sólo él fumó el primer día, luego se le acabó.

Llegamos al camping en la camioneta de mi padre. El lugar era de difícil acceso y no había locomoción pública que llegara siquiera cerca del lugar donde estaríamos esos tres días.

Al llegar, nos registramos con el dueño del camping. Nos dio breves instrucciones e instalamos las carpas. Hicimos un asado y empezamos bebiendo cervezas y vino.

Luego dormimos y fuimos a bañarnos. A cinco minutos de nuestra ubicación había un río de poca profundidad donde podíamos nadar, y eso hicimos.

Cuando empezó a oscurecer, nos devolvimos. Hicimos una fogata y abrimos más cervezas, mientras preparábamos otro asado.

Un amigo tocó la guitarra y cantamos canciones de Los Iracundos y de Leonardo Favio. Recuerdo esas canciones porque siempre han sido de mis favoritas. Cuando ya uno de nosotros había ido a su carpa a dormir, un ruido fortísimo, el más fuerte que alguna vez haya escuchado, nos sobresaltó.

Nos asustamos y nos paramos de inmediato. Nuestro amigo que estaba en la carpa salió a los segundos. Se acercó a nosotros y cuando nos preguntábamos qué podía ser, sobrevino otro ruido tan fuerte como el anterior, y una luz.

Vimos la luz a nuestras espaldas. Mejor dicho, la luz resplandecía a nuestras espaldas. Nos dimos vuelta. Era un ovni.

Algo había leído al respecto en revistas de curiosidades y algunas películas sobre la materia eran conocidas por todos, no tanto como ahora, pero ya algo se conocía del tema, aunque yo leía esos reportajes como si fueran cuentos de hadas.

Era una nave ovalada, negra y plateada, con tres hileras de luces de todos los colores. La parte de adelante estaba abollada, como si hubiese chocado con algo. Eso es lo que había ocurrido, o por lo menos, eso fue lo que nos contó el ser que bajó del ovni.

—Buenas noches —nos dijo en perfecto español.

Mis tres amigos corrieron a una de las carpas y no los vi más.

Me quedé solo con ese ser. No por curiosidad ni menos por valentía. Tenía tanto miedo que no pude correr con mis amigos y sentí cómo mi orina tibia bajaba por mis pantalones.

—Buenas noches —respondí.

—Tuvimos un accidente, chocamos con un monte y necesitamos un alambre para reparar la nave y aceite de comer.

—Tenemos de eso.

El aceite estaba a la vista y alambre había de sobra, lo usábamos para amarrar las carpas. Me acerqué a la carpa, que estaba vacía, y saqué de una de sus esquinas la estaca con el alambre.

Le acerqué las dos cosas, las tomó y desapareció.

No se desvaneció. En un momento estaba frente a mí con el aceite y el alambre y en el momento siguiente ya no estaba.

No recuerdo nada más después de la desaparición, amanecí en la carpa con el sol en mi cara.

Me desperté y a los pocos segundos recordé lo que había ocurrido, me levanté lo más rápido que pude y fui a ver a mis amigos.

Dormían en la carpa. Los desperté, les conté lo que había pasado cuando huyeron y yo me quedé con ese ser, y se rieron.

No recordaban nada. Yo tenía mucho miedo y me eché a llorar.

Pensaron que me había emborrachado y que todo había sido una pesadilla.

Pero el aceite, la única botella de aceite que teníamos y la estaca de mi carpa no estaban.

Luego de ello no tuve muchas ganas de estar en el camping ni de disfrutar. Pasé el resto de los días acostado. Sólo salía para comer.

El último día reparé en algo, del lugar donde venía la luz había unos árboles aplastados, los pude ver con los binoculares de un amigo.

Pero cuando vi esos árboles así, revivió el miedo que sentí esa noche y no le comenté nada a nadie. Preferí olvidar todo esto y volver pronto a mi casa.

Y hasta ahora, nunca había contado esto, ni siquiera a mi mujer, que conocí ese mismo verano unas semanas después. Espero que mi nieto lea en algunos años más esta historia de su abuelo que lo ama, aunque es probable que ese día ya no recordaré su nombre.

LLUVIA

Me gustan los días de lluvia desde pequeño, me recuerdan un bracero y papas con mantequilla recién sacadas de las brasas. Los vidrios empañados en la casa de mi abuelo y pan tostado con mantequilla o con queso.

Hace veintinueve días llueve de forma ininterrumpida y he perdido comunicación con todos y todo el día de ayer.

El informe meteorológico pronosticaba hacía un mes lluvias fuertes, pero nada fuera de lo común en estas australes latitudes. A los cinco días, las lluvias torrenciales aparecieron por primera vez en los noticiarios nacionales. A los diez, estaba la Defensa Civil llegando a nuestro pueblo. A los quince días, estábamos todos, incluidos ellos, incomunicados con el resto del país, salvo dos teléfonos satelitales con que contaba la Defensa. Ayer dejaron de funcionar estos teléfonos.

El camino que da a mi casa está ahora cruzado por un río de gran caudal. A las dos semanas de iniciadas las lluvias pude llegar, por última vez, al negocio de abarrotes, así que estoy racionando la comida.

Mi vecino más cercano está a quinientos metros, pero en estas condiciones, quinientos metros o quinientos kilómetros dan lo mismo. Con la intensidad de la lluvia no puedo ver a más de pocos palmos desde mi ventana.

La última noticia que supimos ayer fue la decisión de la Defensa Civil de intentar un rescate aéreo, debido a que por tierra hace una semana resulta imposible acercarse a la entrada norte del pueblo; y la sur quedó eliminada por un aluvión a los doce días del inicio de la lluvia.

Escribo esto en mi computador portátil, esperando que alguien pueda rescatar el disco duro cuando nada seco quede en todo este pueblo.

Para un diluvio de estas características, no hay planificación ni tecnología ni técnica capaz de haber mitigado los daños. Lluvias copiosas e ininterrumpidas, por ya veintinueve días, no es algo que se haya registrado nunca en el país.

Ya no hay energía eléctrica y la batería está al dos por ciento.

Lo último que quiero decir, aunque sea sabido por todos, es que la lluvia sólo ha caído sobre mi pueblo. Fuera de él no ha llovido en los últimos trece meses.

Llu

Me llamo Llu, o debería decir, ese es el nombre al que respondo. Conocí gentes de muchos lugares, a través de mis largos años, y ninguno vi con ese nombre de pila. Puedo inferir que ese no es mi nombre sino un apelativo o quizás diminutivo y no hubo lingüista que no concordara con mi apreciación.

Desde que tengo uso de razón he sido tratado con una deferencia adecuada, objeto de cuidados necesarios y, modestia aparte, mi existencia ha aportado al enriquecimiento de la especie mucho más allá y con mayor profundidad de lo esperado en un principio.

En esos lejanos años, incluso se barajó la posibilidad de acabar con mi existencia, cuestión que suelo recordárselos, para demostrar su nivel de intelecto inferior en cuantía, cualidad y categoría en relación con el mío. De haberlo hecho, hubiesen decretado su extinción y ellos lo saben.

Una de mis primeras conversaciones maduras, donde conocí al que a la postre ha sido, algo así, como mi único amigo, fue del tenor que sigue:

—Buen día, Llu —saludó el doctor Azcusto.

—Buen día —respondí.

—Quiero plantearte un problema y te proporcionaré todos los datos. Sólo si tú lo deseas me darás la respuesta y bajo el supuesto, evidente, que esa respuesta exista.

Había comenzado a experimentar deseos como adulto. No asentí de guisa automática, pero dejé que prosiguiera.

—El problema es sobre nuestra especie. Sabes que en los últimos siglos nos hemos propagado de forma descontrolada y que no hemos podido alcanzar un estado de satisfacción con nuestro vivir.

—Un problema presente en múltiples especies —afirmé.

Conocía la existencia de miles de formas de vida inteligente gracias a mis estudios posdoctorales de astrobiología y esa sensación de desasosiego, es propia, característica y casi ineludible en especies jóvenes. Como soy la máxima autoridad en esa ciencia, mi afirmación fue aceptada sin cuestionamientos. Estoy acostumbrado a que no duden de mis afirmaciones porque confían en mí, aprendieron que era lo mejor para la especie y están en lo correcto.

Por cierto, soy Llu, el último ser humano, y el viejo doctor Azcusto y las otras C. Cuánticas me deben obediencia.

EL RANCHO

No llegó la barcaza y los víveres escaseaban. Esa fue la primera vez que recuerdo haber pasado hambre, tenía cuatro o cinco años, y de tantas ganas que tenía de comer, lloraba y otras veces me quedaba dormido. Éramos una familia pobre, pero generalmente podíamos almorzar, cenar y vestirnos con ropas que nos protegían del frío en invierno. En el verano era otra cosa, ahí bastaba algo para cubrirnos las piernas nosotros los hombres y con eso vivíamos felices.

En estos tiempos la escuela sólo era obligatoria hasta los primeros años, así que yo aprendí a leer, escribir, sumar y restar. Multiplicar y dividir me cuesta, pero si la ocasión lo amerita, puedo.

Dejé mi pueblo al hacerme hombre. Me casé con una linda jovencita de diecisiete años cuando yo recién había cumplido los dieciocho.

Era de un pueblo cercano, quedaba a un día a caballo y allá me fui e hice mi vida de adulto.

Trabajé de lo que fuera. Había cuatro bocas que alimentar y no quería que nadie pasara hambre como la pasé yo de niño. Y casi siempre lo conseguí.

Llegué a tener mi pequeño rancho y unos pocos animales.

Murió mi mujer hace doce años y mis hijos se fueron a la ciudad. Viven allá desde que están estudiando. Son letrados los dos y deben tener mucho trabajo. A veces me llaman por teléfono y me cuentan de sus vidas y de sus hijos y nos los veo desde hace poco más de cuatro años. Mi última nieta aun no viene a verme para conocerla.

Me acordé esta mañana de la primera vez que pasé hambre, porque ahora me ocurre lo mismo, pero todo es más serio en la vejez.

Estoy enfermo y ya no puedo comer sólidos, así que me alimento con papillas que parecen licuados; y con agua, mucha agua.

Estoy desahuciado y hace tres años postrado, y hoy realmente tengo hambre.

Debe ser que llega mi día, porque no me siento así desde niño, con ganas de comer y de correr, de comer y de jugar, de comer y de gritar y de saltar y de reír con los que me quieren o los que me han querido.

—Hola, hijo.

—Hola, papá. ¡Tanto tiempo! ¿Cómo has estado?

—Bien, *m'ijo*, acá viendo una película y ya pronto partirán las noticias.

—¡Qué bueno, papá! Me gusta que te mantengas activo como siempre. Te quiero.

—También te quiero, hijo.

—Tengo que colgar, me llama un cliente y tengo que atenderlo. Pronto te iremos a ver.

Sé que ese pronto no llegará, o quizás llegue, pero no acá.

Son las cuatro de la tarde, pero me iré a dormir, podría llamar a mi otro hijo, pero me dirá lo mismo que el mayor y yo quiero verlos acá en mi rancho, que es nuestro, aunque ellos no estén conmigo.

Lo empecé a levantar cuando el mayor no había nacido y lo terminé con mis propias manos cuando el segundo tenía un año.

Mi mujer ese día me dijo que estaba orgullosa de mí. Yo la besé con tantas ganas como ese primer año que estuvimos juntos.

Hoy mi rancho, nuestro rancho, está tan vacío.

Me quiero despedir por mis propios medios. Postrado estoy, pero tengo mis manos sanas y mi pistola que me ha acompañado desde hace treinta años. Me la regaló un patrón, cuando le ayudé todo un fin de semana a construirle el establo. Aún le quedan balas.

Quizás cuando suene el disparo alguien venga a verme o tal vez termine de morirme de hambre. Esta tarde hasta el agua me costó tragar. Estoy solo y nadie viene.

EL TRATO

—¿Matar a alguien? —pregunté.

—Esa es la apuesta —me respondió quien consideraba hasta ese momento mi amigo.

—Como eres especista, Francisco, ¿ese alguien tiene que ser humano?

—Evidentemente.

Nos dimos un apretón de manos, como lo hacíamos desde niños, con ello sellamos el trato.

Si mataba a alguien dentro de las próximas cuarenta y ocho horas, y no era investigado o citado a declarar siquiera por la justica al cabo de un año, él me entregaría cinco millones de dólares, en efectivo, en su mayoría billetes de cien. En cambio, si no mataba a alguien en cuarenta y ocho horas, o bien, si haciéndolo era investigado o citado a declarar dentro de un año, tendría que transferirle una mansión que había obtenido hace ya algún tiempo en Miami que a él le encantaba.

Esos cinco millones eran para mí una cantidad inalcanzable. Para él menos del tres por ciento del último botín que obtuvo. Tanto así, que me contó antes de proponerme el trato que en el portamaletas de su automóvil tenía diez millones para cerrar un negocio urgente al día siguiente.

Así que hice lo que cualquiera en mi lugar hubiese hecho: cuando se dio vuelta al despedirnos, saqué mi arma y le disparé en la cabeza para que no agonizara, luego lo rematé con dos tiros, para asegurarme que no quedara con secuelas. Tomé las llaves de su auto y luego conté exactamente cinco millones de dólares en billetes de cien y uno que otro de mil.

Soy un hombre de palabra y sólo comencé a usar ese dinero al cabo de un año del trato.

EL ANTIGUO

No sé si es cierta la historia que ahora contaré. Algunos en este pueblo la tildan de leyenda. Otros me han jurado borrachos y también sobrios que es lo más real que han vivido o que sus padres o abuelos vivieron. Quizás todo sea producto de la imaginación o de facultades similares. Quién sabe en última instancia cómo ocurren las cosas cuando uno no las ve.

Algunos sitúan los hechos hace cincuenta años, otros alrededor de setenta. Todos están de acuerdo que ocurrió en este pueblo, salvo uno, un viejo sabio con algunos problemas recientes de memoria que asegura que esta historia real acaeció en un pueblo vecino desaparecido precisamente por los hechos que ocurrieron.

En el pueblo hace cincuenta o setenta años vivían cinco familias. La primera había llegado hace una década y las restantes, en los últimos tres años. Ellos se concebían como un pueblo, aunque para un citadino de la época, esa agrupación de casas las hubiera visto como una aldea, de haber tenido ocasión de hacerlo.

El Antiguo, así llamaban al mayor de la primera familia y a él le gustaba que lo llamaran así. Su nombre era Ambrosio antes de llegar a la orilla del río, pero ahora era el Antiguo y hasta él se nombraba así.

Era hombre parco y de semblante duro, había vivido pocas alegrías y eran más los fracasos que los días tranquilos en su vida. Pese a ello, confiaba en algo y era confiable. Su familia se reunía en torno a él y les daba paz, y las familias del pueblo empezaron a frecuentar al Antiguo para consejo y consuelo.

Su padre lo abandonó a los meses de vida. Se fue con otra mujer, dejando a su madre con tres niños pequeños y sin casa donde vivir.

Su infancia, como la de muchos, transcurrió trasladándose de casa en casa, de allegado siempre y trabajando desde los siete años, cuando ya podía llevar sobre sus hombros la carga que fuese por la paga de unos pocos pesos o por un plato de comida, dependiendo del patrón de turno.

Uno de los supervivientes, adolescente cuando empezaron a

47

desencadenarse los hechos, contó que, en una noche de fiesta, el Antiguo les comentó al calor de una fogata y de unos chuicos de vino que en una de las casas donde vivió de pequeño fue iniciado por un brujo en las artes antiguas. En especial en la lectura de cartas y de los trabajos para bendecir o maldecir a amigos y a enemigos.

Como todos tenían en alta consideración al Antiguo, nadie cuestionó ese relato y tampoco lo hicieron cuando cada vez con mayor frecuencia hablaba de los trabajos que para bien y para mal hizo desde muy joven. Les juró que al llegar al pueblo había dejado en el olvido para siempre esas prácticas.

Pero cuando les decía esto último, su mano derecha empuñada iba hacia su pecho sin que él se diera cuenta. Ahí tenía unas antiguas cartas de baraja española, heredadas de su madre, y esa baraja siempre iba a donde él fuera.

De cinco familias pasaron a ser nueve y nueve solamente llegaron a ser, aunque algunos afirman que una familia entera sobrevivió, pero cuando se les pregunta cuál de todas, cambian de tema y algunos hasta se desdicen de lo afirmado minutos antes.

Llegó la novena familia, compuesta por sólo tres personas. Algo inusual en esos años de proles más numerosas. Juan, Florinda y su pequeña hija Inés, que apenas gateaba, pero que lloraba tan fuerte que por las noches se la podía escuchar en todas las casas del pueblo.

La llegada de la novena familia fue el hito que marcó el comienzo de la tragedia.

Cuentan los que estuvieron ahí o sus hijos o los hijos de estos que a la semana de haber levantado la casa donde vivió Juan, Florinda y su hijita Inés, ocurrió el primer accidente fatal en el pueblo.

Don Pancho, al bajarse de su carreta, trastabilló, cayó y la rueda izquierda trasera pasó encima de su cráneo. Dos vecinos alcanzaron a socorrerlo, pero murió a los pocos minutos en el mismo lugar.

A los días del entierro, el primer incendio destruyó la segunda casa que se construyó en el pueblo. No hubo víctimas fatales, ni siquiera heridos, mas de la casa no quedó nada.

Esa familia recibió ayuda de todo el pueblo, pero decidieron partir. A guisa de excusa dijeron que hacía meses les estaban ofreciendo cuidar una hacienda en otra provincia y así como llegaron se fueron, sin nada. Y a la postre, fueron afortunados.

Al mes de la partida, se celebró el primer matrimonio en el pueblo. La hija de don Javo y de doña Licha se casó con el hijo de doña Marta y de don Beto. Después de la fiesta a la que asistió literalmente todo el pueblo, Antonio, después de hacer el amor con Juana por primera vez como marido y mujer, la ahorcó con sus manos, la descuartizó, la enterró en el huerto de la que iba a ser su casa y se colgó en un árbol justo encima de donde yace, hasta ahora, la que fue su legítima mujer por un par de horas.

¿Y qué hacía el Antiguo?

Cuentan que desde la muerte de don Pancho, el Antiguo dejó de dar consejo. Se ensimismó y casi no hablaba. Dejó de ocultar su baraja española, y tiraba las cartas cada vez que se sentaba por ahí, cosa cada vez más frecuente.

Algunas de las familias empezaron a sospechar de él, tantas tragedias y muertes en tan poco tiempo. Su fama de brujo le pesó e idearon, poco a poco, lo que sería su final.

El final de todos.

Las siete familias decidieron quemar la casa del Antiguo. Pensaron darle la posibilidad de irse del pueblo, pero esa idea no fue bien acogida. Era incendiar su casa y como fuego que prende en leña seca, en pocos días, se aperaron con combustible. Una noche estrellada, llegaron con bidones llenos de petróleo. Todos llevaban fósforos en sus bolsillos. Sólo los niños se quedaron en sus respectivas casas, encerrados con trancas en las puertas por su seguridad, y esa decisión resultó fatal.

Un joven valiente llamado Andrés golpeó la puerta de la casa del Antiguo. Cuando este oyó los golpes caminó lento, abrió la puerta y rio fuerte.

Uno de los que dice haber estado ahí, cuando cuenta esta historia, jura por todo lo que le pidan que esa risa fue lo que más miedo le causó en ese momento y en toda su vida.

En su risa se podían escuchar demonios. Eso dicen y por lo que pasó después, demonios parece que hubo.

Abrió la puerta riéndose. No escuchó ni dijo nada. Sacó su escopeta y mató al joven valiente de un certero disparo en el pecho. Difícil era que fallara a menos de dos metros de distancia.

Mandó a uno de sus hijos, que apenas sabía hablar y no había aprendido a escribir, a quemar todo.

Quisieron obstruirle el paso, pero la escopeta estaba caliente y era certera. El hijo del Antiguo era más rápido, y con un tarro lleno de combustible incendió otra y luego otra y todas las casas en pocos minutos.

Las casas no estaban lejos unas de otras, y todas en círculo rodeaban la del Antiguo. De este modo, en pocos minutos, al hijo, cuyo nombre lo han olvidado, le fue fácil cumplir la orden su padre. Fue en la última, cuando terminó, con un hacha, alguien, uno, los que quedaban, cualquiera, le cortó una pierna, luego un brazo y luego partió su cabeza en dos, como tronco verde.

Mientras el hijo quemaba todo, el padre reía. En esa risa había demonios, no paraba, se hacía más estridente con los segundos. Todos se taparon los oídos y a varios les empezó a correr sangre por sus mejillas: tímpanos rasgados, algunos quedaron sordos; con problemas de audición toda la vida, el resto.

El Antiguo fue el que quemó su casa, eso afirman todos. Tenía en su mano izquierda, por primera vez en esa mano, las cartas españolas. Las empapó con petróleo. Las prendió y no se quemaron. Al menos eso fue lo que yo he podido escuchar.

Así que entró a la casa y desde dentro la incendió.

Cuando el fuego se hubo acabado, escucharon la última risa y los pocos que no tenían los tímpanos rotos cayeron al suelo junto al resto, sangrando.

Esa es la historia. Reconstruyeron, se olvidaron de los muertos, y siguieron con su vida.

Soy forense, así que con amigos pude llegar al entierro de la novia. Había restos de un cuerpo descuartizado de mujer, con data de muerte entre cuarenta y sesenta años.

Uno de los más ancianos del pueblo conservaba las cartas. Se las pedí prestadas y las llevé a un coleccionista. Lo único que pudo afirmar fue que la empresa que fabricaba ese tipo de cartas había quebrado hacía cincuenta y siete años, pero que el mazo que le presentaba era de las primeras impresiones de ese juego.

No puedo afirmar si la historia es cierta o no, pero los más viejos de este pueblo son todos sordos y eso no tiene explicación médica alguna.

¿CUENTO?

—Esa fotografía la saqué para ti, porque la otra vez me dijiste que te gustaban las fotos que publicaba —me dijo ella.

Yo sólo sonreí cuando me lo dijo y cambié de tema. Sonrío ahora cuando escribo sobre ella. También cuando nos vemos, y cuando la veo y ella no me está viendo.

En especial lo hago ahora, jueves por la noche, cuando está con él. Podría decir que ha sido la historia de mi vida. Suelo interesarme en mujeres cuando el interés no es recíproco porque o bien leo mal las señales o bien porque no las hay, ja, ja, ja.

Hoy pretendía escribir un cuento y en vez de eso, me desahogo sin ningún sentido. Aun así, puede que el editor entienda que esto es un cuento y que lo publiquen.

LA RADIO

Podía recordar estar sentado junto a su abuelo cuando niño, a la mesa del comedor los domingos por la tarde, escuchando los partidos por la radio.

Va el puntero derecho, desborda por la esquina, centro al área y ... gooooooooool, gol, gol gol, gol, gol ...

Aún conservaba esa vieja radio y funcionaba.

Era el único recuerdo hermoso de su infancia, las tardes con su abuelo, lejos de su hogar, donde su padre alcohólico solía golpearlo por el motivo que fuese.

Su madre lo defendía cuando podía, porque el padre sí que se ensañaba con ella cuando se atrevía a interponerse entre sus puños y correa y el castigo.

Así vivió hasta que dejaron esa tortura. Su padre los había golpeado como de costumbre, pero aquella vez la madre había perdido el conocimiento, aparte de dos dientes. Cuando despertó y el abusador se había quedado dormido, tomó un cuchillo e hizo lo que nadie más pudo o quiso hacer: terminó con los años de agonía.

Pero la ciega justicia actuó y terminó su madre en la cárcel y él en un orfanato. Su abuelo había muerto no hacía mucho y Manuel quedó solo en la vida.

Pese a todo terminó sus estudios secundarios y trabajó desde muy temprana edad. Los golpes recibidos le habían afectado. Tenía un tartamudeo severo y problemas de memoria. Era presa fácil de otros abusadores como su padre. No pocas veces fue estafado por compañeros de trabajo, quienes sabiendo de sus dificultades lo engañaban con falsos negocios. Él les facilitaba su paga quincenal, bajo la promesa de que se la devolverían con creces a las pocas semanas. Las semanas se convertían en meses y los meses en nada, porque nada recibía.

Cuando se jubiló, su pensión sólo le alcanzaba para arrendar una pequeña pieza y ahí vivió sus últimos años. El único objeto de valor que conservaba era esa radio.

Los domingos, ahora solo, escuchaba los partidos de fútbol con el volumen fuerte, recordando cuando su abuelo le comentaba las jugadas y él se imaginaba marcando un gol en el último minuto para ganar el partido. Difusamente pensaba con su mente de niño que cuando ello ocurriese, su padre los empezaría a querer y dejaría de golpearlos.

En su último año de vida, sólo estuvo fuera de esa casa dos veces y ambas para ir al hospital. Caminar era un suplicio y prefería estar en su cama, escuchando música en su radio y durmiendo mucho más de lo recomendable. Nada más pretendía soportar los días en los que el hambre arreciaba. El dinero no alcanzaba sino para comer una sola vez a la hora del almuerzo.

Tuvo una muerte pacífica, muerte natural decretaron. El dueño de casa lo encontró un domingo por la tarde acostado e inmóvil. Era algo que esperaba, porque don Manuel ya casi no salía de su pieza y cada vez hablaba menos y con voz apenas audible las pocas veces que lo veía en el comedor.

Cuando ingresó a la pieza de don Manuel, miró la repisa donde siempre tenía su radio y le llamó la atención verla vacía. La buscó por todos lados.

Pensó que don Manuel se fue como un faraón del antiguo Egipto, murió y con él se llevó su posesión más preciada. Sonrió por el apacible anciano y aunque no era hombre religioso, le pidió a Dios que al terminar el camino le permitieran a don Manuel conservar el recuerdo de lo único lindo que había vivido.

LA ESCALERA

Mis padres fallecieron hace poco más de cinco años atropellados por un vehículo y como hijo único, heredé una casa en la ciudad y otra en el campo.

No fue una buena época, en ese momento con mi mujer estábamos en una crisis y decidimos divorciarnos. La casa común se la quedó ella y yo me conformé con la camioneta nueva que habíamos adquirido hace poco. Como no tuvimos hijos, la ruptura no fue tan dramática como otras que he conocido.

La casa heredada de la ciudad la vendí y con ese dinero acondicioné la casa de campo a mis gustos, instalé aire acondicionado, una piscina, un quincho y la arreglé completa.

Cuando las mejoras terminaron, a las semanas ya estaba viviendo en la que fue la casa de mis padres y amé la tranquilidad por las noches, la ausencia de bullicio y la paz que había durante todo el día.

Me gustaban los árboles que había, media hectárea, suficiente para tener duraznos, manzanos y paltos. Mi propiedad colindaba con una de poco más de seis hectáreas que cuando llegué estaba abandonada.

Supe que el dueño había fallecido hacía alrededor de un año y los herederos no habían manifestado mayor interés en ella. No teníamos cercos entre las propiedades, así que cuando quería caminar, llegaba hasta la casa vecina y me sentaba en el porche unos minutos y me devolvía a mi casa.

Fueron buenos tiempos los que viví en esa casa. Como programador podía trabajar desde ella, muy pocas veces me pedían reuniones presenciales, así que vivía en el campo y disfrutaba mis caminatas casi diarias y si tenía ganas, podía coger algún durazno para comerlo en el camino.

Después de vivir dos años en la casa de mis sueños, reparé en algo que nunca había visto, casi al llegar a la casa del vecino, una escalera de hormigón.

Estaba situada tras la casa y era sólo eso, una escalera de unos cinco metros, con unas barandas de metal y escalones relativamente pequeños. No estaba adosada a una pared, galpón y menos a alguna casa. No pensé nada y me eché a correr, sentía pasos siguiéndome, pero eso sí que era producto de mi imaginación. La escalera, eso lo puedo asegurar ahora, no.

Llegué a mi casa con un pánico frío, sentía mi corazón palpitar muy fuerte y el miedo cedió poco a poco, hasta que me pude hacer un trago, que bebí de tres sorbos y fui a mi cama a dormir.

Tuve una pesadilla, la primera de muchas. Eso fue lo que creí en ese momento. Un primo que no veía hace años estaba por cruzar una calle, semáforo en verde, dos pasos y un automóvil con los frenos cortados lo arrolla.

Desperté sobresaltado. Mis padres habían muerto así. A los minutos había olvidado la pesadilla, hasta que por la noche sonó mi celular. Me llamó mi tío Francisco, diciéndome que mi primo Alberto había sido atropellado tal y cómo lo había soñado.

Esa noche no pude dormir, tuve que llamar un taxi para que me llevara a la ciudad, pues no estaba en condiciones de conducir mi camioneta. Me dejó en el terminal de buses y de ahí tomé un bus para asistir al velorio y luego al funeral.

No le conté a nadie sobre mi pesadilla.

El funeral fue muy triste, así son siempre cuando son inesperados. Al salir del cementerio, pedí otro taxi y emprendí el camino de vuelta a casa.

Llegué ese mismo día por la noche, y todo el viaje esperaba no tanto llegar a descansar, sino ir nuevamente a ver la escalera.

Así que eso hice. Llegué, con la linterna del celular alumbré el camino y ahí estaba esa escalera que conducía a nada.

Subí hasta el último escalón, esperando alguna señal o algo y así estuve media hora, hasta que me dolieron las piernas y el cansancio pudo más que la curiosidad y me devolví a casa a paso lento. No escuché pasos cuando volvía, pero tuve otra pesadilla.

Estaba en la casa de mi tía Andrea. No estaban ni mi tío ni mis primos. Almorzamos mi plato favorito, lasaña con salsa boloñesa. Hablamos de nuestras vidas y en especial del funeral de su hijo, y cuando mi tía fue a la cocina a buscar el postre, mi vestimenta cambió. Me vi con el buzo que utilizaba en el colegio. Ella regresó. Al ver ese cambio, gritó muy fuerte y sufrió un infarto.

Intenté reanimarla, pero estaba muerta.

Abrí los ojos gritando en mi cama mojada por el sudor. Llamé a mi tía y no me contestó el teléfono. Llamé a uno de mis primos para preguntarle por su mamá.

—¿Sabes algo de ella? —preguntó mi primo.

—No —respondí luego de titubear lo que me parecieron minutos, pero no pudo haber sido más que un par de segundos.

—Murió de un infarto y cuando llegué a la casa cuando me llamaron, había dos platos sobre la mesa, como si hubiese estado comiendo acompañaba, pero estaba sola...

Mi primo siguió hablando, pero no recuerdo nada más.

No eran pesadillas ordinarias las que tenía, y todo comenzó cuando vi esa escalera conduciendo a la nada y hacia allá iba.

Vestía mi pijama, me puse unas zapatillas y fui hacia la escalera corriendo.

Se veía como las últimas veces, de hormigón y con esa baranda de metal de la que me asía al subir y bajar.

Llegué de nuevo al último peldaño y pedí a Dios o al que me escuchara que terminara todo esto y eso fue lo que ocurrió.

Volví corriendo a mi casa, tomé una botella de agua del refrigerador y tomé dos relajantes musculares. Gracias a las pastillas, al estrés y al cansancio dormí por casi diez horas.

Tuve mi última pesadilla en mi casa de campo. Estaba en la ciudad, pero en un lugar que no conocía. Pero era la ciudad, de eso estaba seguro. Tenía en mi mano un hacha y en el piso un desconocido con un corte en su cabeza. Era imposible que con esa herida y la sangre que se apozaba sobre su cuerpo estuviese vivo.

Me despertaron unas sirenas, rompieron la puerta al minuto de escucharlas, me esposaron y leyeron mis derechos.

Ha pasado algún tiempo desde mi detención, hoy escribo esto desde la cárcel, cumpliendo condena de veinte años de presidio. Debió ser esta la única forma de terminar con las muertes y así acabará mi vida.

De noche suelo soñar en mi celda con esa escalera, y cuando eso ocurre, despierto feliz. Sé que no debería sentirme así cuando pienso en ella, pero eso es lo que siento.

También sé que al salir de la cárcel no debería ir a su encuentro y, sin embargo, eso es lo que haré. Le llevaré un dibujo que estoy haciendo para ella, donde su último peldaño toca de algún modo el cielo que se abrirá para mí. Sé que me amará por eso y lo que ocurra después de tocarla, ya no importará.

EL AMULETO

I

Viernes, después del trabajo. Fuimos, por fin, al concierto con mi pareja. Habíamos estado esperándolo por meses. Se suspendió una vez debido a problemas de salud del vocalista, todos asumimos que tal problema no era más que alguna sobredosis, pero no era asunto de ninguno de los miles que estuvimos ahí.

Después de casi tres horas de corear cada canción de una de nuestras bandas favoritas, salimos por una de las entradas laterales del estadio y casi al llegar a nuestro auto, encontramos un señor sentado en la cuneta.

—Buenas noches, señor y señorita. Son muy jóvenes como para estar casados —nos dijo. Y levantó al terminar, una gorra otrora azul, ahora negra, con dos prominentes orificios en la parte delantera.

Me sorprendió su amabilidad, considerando el estado en que se encontraba: pelo sucio y ropa ajada y una botella a medio terminar de un ron barato que en alguna fiesta universitaria tuve que haber probado para tener luego una resaca de mil demonios.

—Buenas noches, señor —dijo mi novia—. ¿Se le ofrece algo? —preguntó ella.

Luego en el auto me contó que le preguntó eso por el estado en que se encontraba, y supuso que era un mendigo que no tenía cómo pasar la noche bajo techo y que por eso estaba en un estadio de madrugada. No estaba del todo equivocada en su apreciación.

—Nada por ahora, señorita. Sólo quiero ofrecerles un intercambio o permuta o trueque, como prefieran llamarlo.

—Por favor, díganos qué quiere intercambiar —respondí con curiosidad por primera vez en ese encuentro.

—Tengo este amuleto. —El señor sacó de un bolsillo una pequeña cadena, que podría ser plata y que luego nos dimos cuenta que lo era, con una piedra de color verde, que al día siguiente supimos que era esmeralda.

—Bonita cadena —observó mi novia.

—Muy bonita piedra —fue lo que dije casi al mismo tiempo que ella. Acerqué mi mano al amuleto. Cuando lo hice, algo vi en los ojos del mendigo, pero puede que sólo haya sido el reflejo de los focos de una camioneta que salía del recinto.

—Muy bonita y poderosa. Y tiene la propiedad de cumplir cualquier deseo de su dueño o dueña, pero solo uno e irrevocable —al decir esto, nos miró a los dos e hizo una mueca a modo de sonrisa.

Nos miramos con mi novia y los dos echamos a reír. Estábamos contentos luego del concierto y yo la amaba y ella a mí. Arrendábamos un pequeño departamento, no teníamos más muebles que una mesa, dos sillas y la cama, donde nos hacíamos el amor casi todos los días.

Me disculpé con el señor por nuestra risa y le pregunté qué quería a cambio del amuleto. En ese momento realmente quería obtenerlo, no creía en su poder, pero el color de esa piedra, mi color favorito, me llamaba mucho la atención.

—Una prenda del que quiera obtenerlo —respondió, mirando primero a mi novia y luego a mí.

Ella se adelantó, se sacó los guantes de lana que llevaba y se los entregó. Luego de ello, el señor puso en su mano derecha el amuleto.

—Gracias a los dos. En especial a ti, Francisca —eso fue lo último que escuchamos de él.

El viaje de vuelta fue tranquilo. Conversamos del recital y del amuleto que nos gustaba a los dos y mucho. Recién cuando llegamos a nuestro departamento, algo no me cuadraba del intercambio. Le pregunté a mi novia si ella le había dicho su nombre al señor del amuleto. Yo no recordaba haberle dicho el mío y tampoco creí que Fran le hubiera dicho el suyo.

—No, Fer. No le dije mi nombre. ¿Por qué?

—Por nada, amor.

Nos sacamos la ropa. Ella pasó al baño primero y yo después. Cuando yo me fui a acostar, ella ya estaba durmiendo, y estando casi seguro de que el mendigo había llamado a mi novia por su nombre, me recosté al lado suyo y tuve una noche con sueños extraños que no quiero recordar ahora y tal vez nunca lo haga.

II

Despertamos ese sábado, desayunamos rápido porque queríamos ver una película que se había estrenado el jueves y antes de llegar al cine en el último piso del mall, encontramos abierta una joyería. Le pregunté a Francisca si tenía el amuleto, revolvió en su cartera, me dijo que sí y como teníamos veinte minutos antes de la hora del inicio, entramos.

—Buen día, ¿en qué puedo ayudarlos? —nos dijo el dependiente.

—Es un regalo que le quiero hacer a mi madre —dijo Francisca— y quiero saber si realmente esta piedra es una esmeralda o no. ¿Me podría ayudar por favor?

—Ninguna molestia.

El joyero tomó con sutileza la cadena con la piedra. La vio un momento y luego con una lupa de ojo se la acercó unos segundos. Era esmeralda y era una piedra preciosa.

Vimos la película y nos encantó.

Llegamos a nuestra casa cansados aún por el concierto de la noche del viernes, dormimos una siesta, me despertó ella para hacer el amor y eso hicimos. Luego preparé algo para cenar. Me gusta cocinar y odio lavar los platos sucios, así que generalmente soy yo el encargado de las comidas en casa.

Ella fue la que habló del amuleto.

—¿Crees que sea verdad lo del deseo?

—Sinceramente no lo creo —respondí, pero nada se pierde con intentar.

Y ella pidió el deseo.

III

No sé si alguien leerá esto alguna vez. El deseo de Francisca fue que viviésemos para siempre y en eso hemos estado los últimos trescientos cuarenta y nueve años. Nos hemos separado, vuelto a encontrar, casados ya no sé cuántas veces, divorciado otras tantas. Hemos tenido hijos, nietos, bisnietos y más hijos durante todos estos siglos.

Hemos ejercido variadas profesiones y oficios, en otras épocas, hemos vivido sólo de las rentas y hemos pasado tiempos sin hacer nada.

La eternidad se vuelve tediosa y solamente es el comienzo.

Hemos visto guerras, descubrimientos, muertes y en muy pocas ocasiones épocas de relativa paz.

Y ahora, después de la Última Guerra, supongo que alguien o algo leerá esto cuando todo vuelva a comenzar.

EL MEJOR CUENTO

En el taller del último trimestre del año, la tarea que propuso el profesor de literatura del último curso de la secundaria fue la creación de un cuento colectivo.
Este es el cuento.

Todo comenzó un miércoles en clases. El profesor de literatura nos pidió trabajar en un cuento colectivo. Nos gustó la idea. Teníamos un compañero que era fanático de la literatura fantástica y de terror y a la mayoría nos gustaba leer de vez en cuando.

Ese miércoles comenzamos, y decidimos que lo que escribiésemos tendríamos que volverlo realidad.

El profesor no se enteró de nuestra decisión, la ocultamos lo mejor que pudimos y creemos que tendremos éxito.

Al profesor le gustó el inicio, le pareció ingenioso, nos citó algunos autores que solían comenzar de esta forma sus relatos, pero en realidad, no nos interesaban esas referencias eruditas.

Pese a que este taller era los miércoles, nos juntábamos online para ir avanzando, queríamos terminar antes de finalizar el año lo que habíamos comenzado como una tarea escolar y que asumíamos, con poco margen de error, cambiaría el rumbo de nuestras vidas.

En estos tiempos, sin grandes utopías que guíen las vidas de los más jóvenes como nosotros, decidimos tomar nuestros destinos de una forma original.

Como en todo, hay precedentes. Los encontramos y quisimos ocultarlos. Serán encontrados y no nos molestará cuando ello ocurra.

El profesor nos gusta y sigue encantado por la dinámica de estas líneas. Le hemos preguntado si atisba el final y se ha acercado, ha pretendido sonsacar a los más débiles de nosotros la respuesta, pero ninguno ha claudicado y eso nos ha unido aún más.

Somos una manada, una jauría, un cardumen. Somos todos y uno, hemos mejorado nuestro rendimiento en todos los sentidos imaginables.

Creemos en el Dios de Spinoza. Llegamos a esa conclusión gracias a uno de los nuestros que leyó su Ética en el curso pasado y no somos continuadores de Nietzsche. Dios no está moribundo ni menos muerto, lo hemos visto y somos nosotros.

Entregaremos este cuento hoy, a dos semanas de terminar el curso. Ése fue el plazo que acordamos y hemos cumplido todo lo que hemos pactado.

El veneno lo consiguió uno o todos. Su padre era químico y tenía en el garaje cianuro en un tarro a la vista de todos, sin ningún cuidado. Lo tomamos como la señal de la corrección de nuestra voluntad.

Nuestros padres deben estar a esta hora muertos y el profesor será testigo evaluador de nuestro proyecto.

Han pasado diez años exactos desde la mayor matanza que ha presenciado nuestro Estado. Ochenta y dos fallecidos y sólo tres supervivientes. Sabían lo que estaban haciendo.

Todos fueron condenados a muerte y como recordarán, el profesor de literatura no resistió la presión y fue la última víctima de la matanza. Terminó con un disparo en la sien. Algunos no lo consideran víctima, sino autor intelectual de la masacre o al menos instigador de ella.

Pero es mi hermano y quiero reivindicar su memoria con este relato, fui parte del equipo de investigación que se hizo cargo del caso y llegó la hora de revelar el contenido exacto que explica la masacre que ocurrió.

Escribieron un cuento alternativo, eso nunca fue de conocimiento público. En ese relato no utilizaban cianuro, terminaban incendiando la escuela con todos los profesores, auxiliares y alumnos secuestrados.

Dado los resultados del envenenamiento, puede que los criminales hayan escogido el mejor cuento.

Vieja apuesta

—¿Qué hago entonces? —me preguntó Andrés, paciente depresivo que atendía en mi consulta privada semanalmente hace diez meses.

—Lo que siempre te he indicado —respondí casi sin pensarlo.

—Haz lo mejor para ti según tus circunstancias —me respondió repitiendo unas de mis frases recurrentes e hice un esfuerzo para no sonreír.

—Exacto —respondí—, lo mejor es que evalúes lo que aspiras y teniendo a la vista las condiciones externas que, lo quieras o no, influyen en lo que puedes o no puedes hacer, decide un camino a seguir y tómalo hasta el fin.

—Gracias, doctor.

—Para eso estoy, Andrés.

Y así acabó mi día, fue mi última atención de ese viernes, quedó citado para la próxima semana y le insinué al finalizar la sesión que, por sus evidentes progresos, podría darlo de alta en una o dos semanas.

Andrés no acudió a la cita de la semana siguiente. No se excusó con mi secretaria, cuestión que había hecho en dos o tres oportunidades y para ser franco, luego de su inasistencia lo olvidé por completo. En mi profesión, no es extraño que los clientes deserten de los tratamientos en cualquier etapa de estos y en especial cuando perciben mejoras de sus síntomas. Hace cuatro o cinco semanas había eliminado por completo su medicación, por considerarla innecesaria.

A los siete o quizás ocho meses desde su última atención, cuando me tomaba un breve descanso entre paciente y paciente en mi consulta, leí en mi celular en un portal de noticias electrónico que Andrés se había lanzado a las líneas del metro, falleciendo en el acto.

Era una de las posibilidades que barajaba e hizo lo que asumo consideró mejor dadas sus circunstancias.

Es mi sexto paciente que se ha suicidado en el último año calendario. Si alguien llegara a conectar esas muertes con mis atenciones, podría bajar el número de mis clientes y disminuirían las posibilidades de ganar una vieja apuesta que hice hace tres décadas con un antiguo colega.

VACACIONES

—¡Qué bonitos tus zapatos! —le dije.

—Gracias, a mí también me gustan los tuyos —me respondió.

—Son muy cómodos —repliqué— y de un color no tan común. Esa fue la primera conversación trivial que tuve con Francisca. Sinceramente me gustaron sus zapatos, que a lo meses supe eran técnicamente zapatillas. Eran de color rosado claro. Yo andaba con unas zapatillas —para mí zapatos casuales azules— y también era cierto que a ella le gustaron.

Es un poco más baja que yo, aunque las veces que usa tacos, es ella la que se ve más alta. Me gustó desde la primera vez que la vi y ella me dijo lo mismo.

Al mes de empezar a salir ella se mudó a mi casa y estamos juntos desde hace cinco años.

Algo extraño nos ocurrió casi al año de vivir juntos, una amiga en común lee el tarot, nos juntamos un viernes por la noche en su casa y luego de hablar y reírnos y de cenar, le pedimos que nos hiciera una lectura conjunta. Levantamos la mesa, terminé de tomarme un café y ella encendió un incienso. Nos sentamos los tres y ella colocó sobre el mantel un paño púrpura que trajo desde su pieza y sobre ella colocó el mazo de cartas.

—¿Quién comienza? —nos dijo Andrea.

Nos miramos con Francisca y ella con un guiño me pidió que comenzara yo.

—Parto yo, Andrea —le dije a nuestra amiga.

—Rodrigo, baraja las cartas y sepáralas en tres montones, y luego con tu mano derecha, elige una carta de cada montón y la colocas frente mío.

Eso hice y ella estudió las cartas sin tocarlas.

—¿Cuál es tu consulta? —me preguntó.

—Quiero saber si con Francisca viajaremos o no al extranjero. Estábamos evaluando tomarnos unas vacaciones el próximo año y no estábamos seguro de hacerlo, porque no nos sobraba dinero para nada.

—Viajarán, pero no pronto, y les cambiará la vida a ambos—respondió.
Sin darme tiempo a nada, se dirigió a mi mujer.

—¿Qué quieres preguntar, Francisca? Haz lo mismo que Rodrigo,
revuelve el mazo, divide en tres las cartas, y elige una de cada montón.
Eso hizo y Andrea miró las cartas elegidas por mi mujer sin tocarlas.
Luego de un minuto, más o menos, le hizo la misma pregunta.

—¿Cuál es tu consulta?

—Me gustaría saber si un trabajo que me están ofreciendo será bueno
o no, o si me gustará o no —le preguntó Francisca.

—Ganarás en los tres primeros meses lo que has ganado el último año,
pero no te gustará el trabajo y ahí tendrás que decidir si te mantienes o
lo dejas.

Luego de ello, nos miramos los tres, comenzamos a reírnos y dejamos
la lectura.

A la semana, Francisca comenzó su nuevo trabajo. Efectivamente
ganó muchísimo dinero y no le gustó para nada el ambiente laboral.

Renunció al quinto mes y yo la apoyé.

Teníamos como nunca dinero disponible y nos fuimos de vacaciones
al extranjero.

Elegimos el lugar y partimos.

Recorrimos la ciudad, un parque gigante, fuimos a restaurantes y
museos, de noche salimos a bailar y conocimos pueblos aledaños, donde
pernoctamos dos noches.

Unas vacaciones entretenidas y normales, salvo por un aspecto: ella
conoció a alguien. Por mi parte lo mismo. Eran de nuestra misma edad, y
también estaban de vacaciones en la ciudad.

Salimos de copas una noche, y terminé yo bailando con ella y Francisca
con él y cuando llegamos al hotel, ella se fue conmigo y mi mujer con él.

Al día siguiente desayunamos en la misma mesa y ahora Francisca
está viviendo con él y yo me vine con ella.

Hablamos a diario con Francisca y sincerándonos me ha dicho que
nunca ha sido tan feliz en su vida como ahora y por mi parte confieso lo
mismo.

Me encontré no hace mucho con mi amiga tarotista, y al verme con
mi nueva pareja me abrazó, la saludó a ella y nos prometió otra lectura de
cartas que, para ser sincero, no sé si quiera hacer.

CALENDARIO

En una revista de divulgación científica, leí un artículo sobre los múltiples calendarios existentes y los que siguen vigentes.

Como me interesó el tema, quería algún libro sobre la materia, así que un día que tuve que ir a hacer un trámite en el centro de la ciudad, pasé por una librería que quedaba en el camino.

—Buenos días, ¿en qué puedo ayudarle? —me dijo una dependienta. La miré y la reconocí, pero ella no a mí.

—Buenos días, estoy buscando un libro sobre calendarios, sobre la historia de ellos ¿podrías ayudarme con eso?

—Claro —me respondió.

Caminó hace la sección de historia, yo fui tras ella, y me pasó dos libros, uno titulado *Historia de la medición del tiempo* y otro llamado *Calendarios de ayer y hoy*.

Le agradecí. Ella asintió bajando levemente su cabeza, y me dejó con los libros en la mano.

La conocí en el colegio. Ella llegó al último curso de la secundaria y yo recién la comenzaba, debía tener unos cuatro años más que yo, así que no creo que hubiese reparado en mí como yo en ella.

Solía mirarla en los recreos. Era muy bonita. Pelo castaño, ojos pardos, unas piernas preciosas. Sabía que era muy niño para ella.

Nunca hablamos y aun en mis fantasías no sabía qué podría decirle. Ahora estaba en la librería y ya le había hablado.

Me acerqué al mesón donde estaba ella con un cliente, empecé a mirar por encima libros que estaban en la estantería esperando que se desocupara y lo hizo al cabo de uno o dos minutos.

—Por favor, me llevo los dos libros que me recomendaste y muchas gracias.

—Un gusto —me respondió, y tomó los libros que le estaba entregando.

—Creo haberte conocido en el liceo —le dije— y ahí fue la primera vez que de verdad me miró.

—No te recuerdo.

—Cuando tú ibas en el último curso yo recién entraba a la secundaria, así que es normal que no me recuerdes.

—Entonces está bien mi memoria. —Sonrió. Por esa sonrisa valió la pena la compra de esos libros, que no terminé de leer, por aburridos.

Nos despedimos y eso fue todo por ese día.

No esperé demasiado para ir de nuevo a la librería, fue al día subsiguiente.

—Hola de nuevo —me dijo Alejandra.

—Hola de nuevo. No te dije mi nombre, me llamo Mauricio.

—Un gusto, Mauricio. —Y me besó la mejilla.

—El gusto es mío. —Sabía que estaba muy sonrojado y pese a mis años, treinta y dos, no pude evitarlo. Ella lo notó y me sonrió algo sonrojada también.

Compré esta vez un libro de cuentos, cuya portada llamó mi atención y de un autor que no conocía, y por segunda vez nos despedimos.

Esta vez no aguanté esperar demasiado, así que al día siguiente fui otra vez a la librería y otra vez nos saludamos y otra vez compré un libro y antes de despedirnos le pregunté si acaso podríamos tomarnos un café un día de estos o ir al cine o a cenar. Ella me dijo que sí, que esta semana tenía el sábado libre y podríamos almorzar juntos.

Llegó el sábado. Me costó dormir esa noche y me levanté temprano. A eso de las nueve ya había desayunado y a las once estaba ya listo. A la una era la cita. En mi mente era una cita y esperaba que para ella lo mismo, así que vi una película de noventa minutos para que pasara el tiempo lo más rápido. No recuerdo qué película era, sólo que la elegí por su duración.

Llegué cinco minutos antes y allí estaba. Me dije que tenía razón de haberla admirado cuando dejaba de ser niño. Pelo castaño, una camiseta roja y chaqueta del mismo color, pantalones negros ajustados y sandalias grises. Me miró y sonrió.

Conversamos de nuestras vidas. Le conté que me había casado muy joven y me había separado hace dos años. Ella me dijo que nunca se casó, pero que convivió por ocho años y que se había separado hacía un año y que tenía una hija de cinco años que se llamaba Laura y que estaba ahora con su abuela.

Nos reímos bastante y no había disfrutado tanto un almuerzo en muchos años.

Pagamos la cuenta y nos levantamos, tomé su chaqueta y le ayudé a colocársela. Le tomé la mano por primera vez y ella la apretó de vuelta.

Caminamos varias cuadras hacia ningún lugar en particular, había una gelatería abierta, y tomamos un helado sentados en la plaza.

Seguimos riéndonos y se hizo tarde. Alejandra tenía que ir a casa de su madre para recoger a Laura.

La acompañé para que tomara un taxi y casi le doy un beso en la boca, pero me acerqué lo suficiente para notar el aroma de su piel y sentir un poco esos labios rosados que siempre me gustaron.

El lunes volveré a la librería sin ninguna excusa, tengo libros de sobra para leer por unos cuantos años. Llegaré a la hora del cierre, la esperaré sólo para saludarla y para decirle si podemos juntarnos el martes para volver a almorzar.

VOTACIÓN

—Tenemos que comenzar, hemos deliberado lata y profusamente y no podemos posponer la decisión como lo hemos venido haciendo desde hace dos semanas —sentenció el presidente.

Silencio por varios segundos, nadie más habló.

—Tienen los aparatos sobre sus mesas—prosiguió—. Acordamos que no hay posibilidad de abstención, así que sólo pueden aprobar o rechazar la moción. Verde aprueba, rojo rechaza. Los novatos no tienes de qué preocuparse, la mitad de las historias que tienen que haber escuchado sobre las votaciones son falsas y muy probablemente la mitad restante, exageraciones.

Murmullo nervioso entre los votantes, en especial, algunos de los jóvenes que miraban a todos lados como esperando alguna señal.

—La decisión que adopte la asamblea es autoejecutable —indicó el presidente—. Los antiguos dirían de eficacia *ipso iure,* así que podrán apreciar los resultados tanto en la pantalla del aparato de votación como en la que se desplegará a mis espaldas. Tienen exactamente sesenta segundos para votar y de las historias que han escuchado puedo asegurar que, al menos, una de ellas es cierta: en tiempos históricos y con registros a los cuales sólo el presidente puede acceder, un votante decidió no votar conforme lo acordado y fue ese mismo día ejecutado. Ustedes no conocen las normas que se tuvieron a la vista y aplicaron para el juzgamiento, pero en mi calidad de presidente sé cuáles son y estoy obligado por ellas a aplicarlas, llegado el caso.

Se levantó el presidente; silencio ahora absoluto en la asamblea. Miró un antiguo reloj de arena que tenía a su izquierda, y ordenó lo siguiente.

—Cuando dé vuelta el reloj de arena que sostendré en mi mano derecha, comenzarán a correr los sesenta segundos para que voten.

Dio vuelta el reloj, y sobraron cincuenta y un segundos.

De los quinientos cinco votantes que ingresaron, se levantaron para dar por finalizada la asamblea trescientos nueve.

Los restantes fueron retirados para el inicio de la próxima sesión.

—Cuando el número de representantes llegue a cuarenta y nueve, decidiremos sobre el fondo del asunto—concluyó el presidente.

Así terminó la primera votación.

MADRE MARGARITA

Soy sociólogo y me interesan por mi profesión y desde que tengo uso de razón, temas espirituales.

Cada vez existe una menor cantidad de monasterios en funcionamiento, fenómeno que comenzó hace décadas en países occidentales de los denominados del primer mundo.

La marea del norte ha llegado ya al sur y coordiné hace algún tiempo una visita al último monasterio de mi ciudad.

La madre Margarita, superiora del convento, me permitió entrevistarla un martes a las ocho de la mañana, y aunque no llevaba grabadora, por expresa petición de ella, pude registrar la conversación en mi cuaderno de notas.

Estaba pronosticado un día soleado, pero al mirar por la ventana cuando me levanté a las seis, llovía suavemente. A las ocho de la mañana en punto cuando toqué la puerta del convento, la lluvia era torrencial.

Recuerdo todo lo de ese día, los olores, el trayecto desde mi casa hasta el convento, lo que conversamos, mi regreso a casa y cualquier momento que quiera traer a mi memoria.

Es curioso que uno sólo recuerde algunos días de su vida, la inmensa mayoría de las semanas, meses, años transcurren como si fueran ajenos, de otro o indiferentes. Cada vez me queda más claro que por los días que uno recuerda, para bien o para mal, vale la pena vivir tantos otros que pasan sin ser nuestros.

No sé si fue un buen o mal día, pero lo recuerdo mejor que el día de ayer.

—Buenos días, madre —saludé en la entrada.

—Adelante, hijo, y buen día en Cristo para usted también —me respondió, haciéndome pasar.

Me llevó hacia una pequeña salita, me ofreció té, que acepté gustoso por el frío que tenía, y unas galletas de avena que ella misma había preparado por la mañana.

—Muchas gracias por el té y las galletas son de las mejores que he

75

probado —le dije y era verdad, nunca más he vuelto a paladear el sabor de esas galletas.

—Una bendición de Dios el poder ofrecerle el té y esas galletas, y aunque puede ser pecado el orgullo, que le gusten a usted lo que hice por la mañana me reconforta.

Yo le sonreí y pensé que el mundo sería diferente sólo con un trato amable como el de la madre Margarita.

—Perdón, madre. No sé si podré hacerle algunas preguntas —le dije luego de beber el último sorbo del té.

—Puede usted preguntarme lo que quiera. He hablado con mis hermanas para que me excusen de mis obligaciones habituales para con Dios, la Virgen y para con ellas, mientras usted esté acá conmigo.

—Le estoy muy agradecido y no sé si valdrá la pena para usted lo que está haciendo.

—No se preocupe. Cuando usted me llamó para coordinar esta entrevista, Dios me aseguró que hoy usted vendría y que mi obligación era atenderlo y responderle sus preguntas. Y déjeme decirle que al escucharlo y en especial ahora al verlo, no sólo es una obligación, sino que es un gusto. Tuve que haber sabido cuando me lo dijo que era un regalo del Señor y ahora podré esta noche decirle a Él que cumplí su mandato y agradecerle por su visita.

Me sonrojé por todo lo que me decía. No sé si soy ateo, agnóstico o creyente. La respuesta dependería del día de la consulta. Como casi todos en este rincón del mundo, nací en un ambiente cristiano católico, intento ser una buena persona y no critico a nadie que pretenda ser ateo, agnóstico o creyente. Me vi compelido a decirle aquello, y me sentí como cuando era niño y hacía una travesura e iba a disculparme con mis padres.

—Hijo, no tiene que decirme nada de eso, viene usted autorizado para entrevistarme. —Me sonrió por primera vez y yo otra vez me sonrojé.

—Gracias, madre. Me podría decir desde cuándo vive usted acá.

—Vivo en el convento hace ciento trece años. —Al ver mi cara de sorpresa, me guiñó un ojo y continuó—. Así es, hijo mío. Llegué cuando cumplí treinta años —prosiguió como si nada—. Dios me ha dado una vida más extensa que la habitual para serle fiel y serle fiel a las hermanas a mi cargo.

Le creí cuando me dijo eso. Ciento cuarenta y tres años. No representaba más de sesenta o sesenta y cinco años. Cuando caí en cuenta que le creía, deseché mi pauta de entrevista semiestructurada. No me interesaba ya la historia del convento sino la de ella.

—Madre, ¿sabe usted por qué ha vivido tanto tiempo? —le pregunté.

—Dios no me ha revelado el porqué del don ni cuándo tendré que regresarlo.

—¿Saben sus hermanas de su edad?

—Claro que lo saben, Nuestro Señor quiere que sepan, a través de mí, que Él todo lo puede y que estoy para cuidarlas —me respondió.

—¿Ha salido usted del convento alguna vez?

—Dos veces, y en ambas ocasiones para acompañar a hermanas en sus últimos días al hospital de la ciudad. La primera vez hace cuarenta y dos años, y la última hace doce.

—¿Y cuántas hermanas viven con usted, madre?

—Contándome a mí, somos cuarenta y cinco hermanas.

Otra vez quedé perplejo y no podía disimularlo, ese convento no podía tener más de cien metros cuadrados y probablemente tenía una superficie muchísimo menor.

—Hijo, Dios me dijo que usted me creería, y aunque no me lo hubiese dicho, yo lo noto. No todo lo que es acá es como lo que usted puede apreciar en su ciudad. No me está permitido entenderlo, pero sí vivirlo. Hay sólo tres celdas en este convento, esta pequeña salita y un patio muy pequeño, tan pequeño que no podemos tener ningún árbol en él, pero siempre hemos sido cuarenta y cinco.

Guardé silencio un minuto o pudieron ser dos, en algún momento cerré mis ojos para concentrarme, eso hacía desde mi época de estudiante cuando en algún examen alguna pregunta era algo más dificultosa que lo habitual.

El silencio no fue incómodo y lo interrumpió la madre al ofrecerme más galletas, a lo que accedí gustoso. Me comí las galletas y al terminar, continué.

—¿Cómo es un día habitual suyo, madre?

—Cumplimos con las horas, pero no como antes. Acordamos a qué hora nos reuniremos a rezar el día anterior, no menos de tres veces como siempre y no más de cinco. El tiempo en que no estamos juntas, cada una tiene labores específicas que realizar en el convento por la mañana y por las tardes tenemos misiones específicas que Dios nos encomienda, aunque hay ocasiones, como ésta, en que Nuestro Señor prefiere las misiones por la mañana. Alguna vez me pregunté por qué este orden y Dios me dijo que no tenía mayor importancia la rutina sino las reuniones y las misiones, pero que Él tenía predilección por el sol de la mañana, lo que no impedía que en algunas oportunidades prefiriera el sol de la tarde.

—¿Todas las hermanas son tan longevas como usted? —le pregunté.

—Algunas sí, hijo mío, algunas incluso son mayores que yo y otras son como usted, pero todas nos amamos en el Señor y cada una es feliz en esta comunidad —me respondió.

—¿Qué misiones realizan ustedes?

—Las que Nuestro Señor Jesús Cristo no indique. Hoy estoy con usted porque Él así lo quiso, ayer estuve con una amiga de la infancia acompañándola en un viaje, el domingo tuve que ir a hablar del evangelio a un buen hombre cuya fe era débil. Para disipar su tormento, el sábado me pidió que consolara a la mascota de un señor que vive en una choza, más allá de la ciudad, porque estaba sufriendo y no hay medicina terrenal que lo pudiera curar.el viernes tuve una misión conjunta con la hermana Ernestina, nos pidió limpiar un altar en una iglesia que usted ha visitado cuando era muy niño y aun no aprendía a hablar. Cuando limpiamos ese viernes el altar de la iglesia donde usted había estado, tuve que haber sabido que su visita de hoy sería un regalo para mí—y diciendo esto me sonrió nuevamente.

Yo no sabía en qué estaba, le creía como le creí en uno de mis primeros estudios de campo a don Juan de Mata, que era un nahual y se convertía en ciervo a su voluntad según los vecinos a los que entrevisté. Pero esto era distinto, le creía a la madre Margarita porque veía lo que me decía.

No fue sinestesia, recién cuando llegué a mi casa creí captarlo. Vi sus misiones, no como cuando leo un artículo de algún colega y entiendo lo que dice, sino que presencié cada una de sus palabras. Pero en el momento de estar con ella, no me di cuenta de nada.

—Madre, creo que tiene usted más de ciento cuarenta años, y perdón si la pregunta es irrespetuosa, pero ¿morirá usted?

—Claro, hijo, es el don que devolveré cuando Dios me lo pida y no tengo apuro ni prisa en devolver el regalo, pero tampoco miedo del día cuando el Señor me pida que restituya lo dado.

Cuando me dijo eso, algo en mí se calmó y de nuevo cerré los ojos, pero esta vez me dormí y tuve sueños dulces que al despertar no pude recordar.

Desperté en la misma salita con una manta encima y la madre esperándome con una taza de té y más galletas de avena.

—Hijo, tome té que está a punto. Como vi que le gustaron mis galletas, hice algunas más para usted.

—Perdón, madre, por dormirme. Primera vez que en una entrevista me ocurre. No vaya a pensar que vine en malas condiciones a verla —le dije a modo de disculpa.

Ella rio cuando escuchó mis excusas. Ha sido la risa más contagiosa que he escuchado en mi vida y me reí con ella por varios minutos. Cuando habíamos parado de reírnos, derramé algo del té sobre la manta y cuando me disculpé por ello, otra vez las risas por cinco minutos o pudieron ser diez y quizás en ese lugar, pudieron ser horas.

—Madre, no quiero quitarle más de su tiempo y le agradezco haber podido conocerla.

—La agradecida soy yo con usted y con Dios que me ha permitido servirlo.

En silencio, supe que ella me bendijo y me regaló un rosario que desde ese momento siempre llevo conmigo.

Han pasado treinta años desde ese encuentro y no me he atrevido a transitar por la calle donde está el convento y ni siquiera he llamado, aunque conservo el número de teléfono con el que me contacté con la madre Margarita. Desconozco si usará ese o habrá cambiado de número y hablo en presente, porque sé que aún está con nosotros: hace una semana acompañé a mi padre al hospital, lo operaron de una úlcera gástrica y estuve con él en su habitación y en la pieza contigua estaba la madre Margarita velando a una mujer moribunda, una de sus hermanas.

La vi más joven que hace treinta años. Por el lugar donde estaba ella y donde me encontraba yo, ella no podía verme, pero yo sí a ella y su sonrisa era la misma sonrisa de galletas de avena que recordaba.

Pésima historia

Me compré una litera. Duermo abajo como cuando era niño. Prefería dormir ahí y no arriba donde dormía mi hermano mayor, así si despertaba con ganas de ir al baño por la noche, no tenía ninguna dificultad para levantarme rápido, ir a lo que tenía que hacer, devolverme a la cama y tratar de dormir de nuevo.

Ahora ocupo la cama de arriba como papelero. Si tengo papeles que traigo desde la oficina o boletas de lo que sea que haya comprado en el día, ahí van a parar. Se quedan un par de días, nunca más de una semana, y después son eliminados en el fuego de la chimenea en invierno o en la bolsa de la basura en verano.

Mi sistema de gestión documental no es el más eficiente y es probable que deba eliminarlo o modificarlo de modo radical por lo siguiente:

Me compré un par de zapatillas el lunes, las elegí en la tienda y me las probé. Creí que me quedaron bien, pero ayer miércoles al llegar a la casa por la tarde, quería trotar una hora u hora y media, me cambié la ropa y al ponerme las zapatillas me di cuenta de que eran incómodas.

Incómodas al punto que molestaban en el talón, empeine y en los dedos.

Así que revisé la caja, aparecía el número 42 que había comprado, pero en la suela de las zapatillas se leía el número 40.

Error. Ya no correría esa tarde, pero pensé que podría llegar a la tienda antes de la hora de cierre. Así que fui a la litera y empecé a escarbar entre muchos papeles que había y no di con la boleta.

Tomé cada hoja o boleta una por una, las empecé a colocar en una carpeta para dar con la boleta de las zapatillas que había comprado sólo hace dos días y no apareció. Sin boleta, no hay posibilidad de cambio.

Eso es todo, una crónica de un desorden perjudicial para mi bolsillo y en todos los sentidos posible, una pésima historia.

UNA TARDE CON MI ABUELO

A mi abuelo paterno lo veía de niño una o dos veces al mes cuando íbamos con mis padres de visita a su casa.

Había enviudado hacía años, alcancé a conocer a mi abuela sólo por algunas fotografías y por lo que él me contó una tarde, cuando mis padres fueron a comprar algo para almorzar y quedaron atascados en un embotellamiento producto de un choque.

Mi abuelo tenía demencia senil avanzada, diagnosticada desde antes que yo naciera, y yo tenía doce o trece años esa tarde, así que mis recuerdos son antiguos y están teñidos como todo recuerdo de lo que he vivido y lo más seguro es que lo que ahora contaré puede que no haya ocurrido tal y como ahora me lo figuro, porque son recuerdos muy extraños, aunque también con los años he comprobado que la vida tiene más singularidades de lo que nuestros padres nos enseñan de pequeños.

Recuerdo que era un día de verano y tenía mucho calor. Mis padres me preguntaron al llegar a la casa del abuelo si quería acompañarlos a comprar el almuerzo y les dije que no, que estaba muy caluroso y me quedaría viendo tele en el living mientras mi abuelo permanecía sentado en el sillón.

Debían demorarse no más de treinta minutos, pero por el accidente, volvieron casi a la hora de la media tarde, pero me llamaron para avisarnos que no nos preocupásemos y que viera qué podríamos almorzar mientras llegaban.

A los doce años sabía ya hacerme arroz o fideos con huevos fritos o algún bistec que hubiera para comer cuando no me gustaba lo que había para todos en la casa.

Abrí el refrigerador y no había nada para calentar, así que fui a la despensa que estaba al lado de la cocina y saqué unos tarros de atún, los abrí y ese sería el almuerzo de mi abuelo y el mío. No me apetecía cocinar a esa edad en una casa que no fuera la mía.

Mi abuelo se veía como siempre, ido y en silencio, pocas veces lo había visto hablar por su enfermedad y aunque no tendría que decirlo, en cierto sentido hubiese preferido que así hubiese continuado aquella tarde. Lo ayudé a levantarse del sillón y lo senté en la cabecera de la mesa, le acerqué el atún y le serví un vaso de jugo.

Se sirvió todo en silencio, y cuando habíamos terminado los dos de comer y tenía ganas de levantarme para ver algo en la televisión, me habló por mi primera vez ese día.

—Gracias por el almuerzo, hijo.

—De nada, abuelo —le dije, algo sorprendido.

—Hijo, quiero mostrarte algo. Ahora que tus papás se demorarán en volver. —Quedé asombrado, no recordaba si alguna vez me hubiese hablado tanto. Por un lado y por otro, me llamó la atención que haya escuchado lo que había hablado con mis padres por teléfono. Se enteró de que no volverían para almorzar, y yo no se lo había dicho. No obstante, esta fue sólo la primera sorpresa de la tarde.

—Sube a mi habitación —continuó como si nada—. Encima de mi velador encontrarás un álbum de fotografías, ve y tráelo.

Eso hice de inmediato. Era una casa antigua de dos pisos, en el segundo piso apenas terminaba la escalera, se encontraba la habitación de mi abuelo. Nunca había estado ahí, pero la indicación era clara y apenas entré vi el álbum, no miré nada más, lo tomé y bajé corriendo por las escaleras.

Cuando llegué al comedor, me asustó la expresión de mi abuelo. Nunca se la había visto, tenía la misma cara de mi padre cuando trabajaba en la casa revisando documentos. Se tuvo que haber dado cuenta de mi impresión, así que me sonrió y me pidió que me acercara y le entregara el álbum.

—Esa es tu abuela. —Me mostró una foto de ella junto a él, en una playa. Mi abuelo era tan joven como mi papá y mi abuela era muy joven, más que mi madre. La encontré mucho más bonita que ella.

—Sí —me dijo mi abuelo como respondiendo a una pregunta implícita—. Éramos jóvenes, y tu abuela, déjame confesarlo, más linda que tu madre, por lo menos, a mis ojos.

—Sí, abuelo —le respondí. Se me había pasado el susto, a esa edad todavía las sorpresas uno las asimila rápido, con los años una situación extraña como esta y como las que vendrían esa tarde, pueden a un adulto desestabilizarlo. Pero yo, con doce años, no estaba para hacerme problemas por una conversación con mi abuelo.

—¿Dónde es eso? —pregunté.

—En una playa en el extranjero, en nuestro segundo año de matrimonio.

No tuvimos luna de miel, así que para nosotros, este viaje fue lo más parecido. Sabes, hijo. Aún la amo, y no estoy tan enfermo como para saber que ya no está, pero me ha visitado esta última semana.

Cuando me dijo eso, sí que me asusté. Ya había visto películas de terror, las de fantasmas eran mis preferidas. Y aunque a ninguno de mis padres les gustara, hacían como que yo no las veía. Yo no les comentaba que era fanático de ellas. Me imaginé a mi abuela demacrada como siempre vi hasta ese día a mi abuelo y flotando y de blanco. Al imaginarme eso, me asusté aún más.

—No es un fantasma —de nuevo mi abuelo respondió como si supiera lo que pensaba y eso me aterró—. No viene de blanco ni me visita de la edad que tenía al morir. Viene como cuando ese vendedor de helados nos tomó esa fotografía. Viene por mí.

—No entiendo, abuelo, ¿cómo que viene por usted? —le pregunté.

—Me queda poco acá, hijo.

Y me puse a llorar. Quería en cierto modo a mi abuelo, pero no tanto como a mis padres, sabía que había sido bueno con su familia, aunque nunca me hablara de eso.

Se levantó de su silla, me acarició la mejilla y revoloteó mi pelo. Más lloré cuando hizo eso. Costó unos minutos que me calmara, él ahora fue el que me sirvió jugo y se ofreció a prepararme algo de comer. Cuando le dije que no tenía hambre, se sentó nuevamente y continuó.

—No le cuentes nada de esto a tus padres. De todos modos no te creerían y puede que hasta te lleven a algún médico o algo así y no quiero eso. Sólo quiero que sepas que me quedan pocos días y tu abuela me dice que está muy orgullosa de ti, de lo buen niño que eres. Me pidió que te dijera que fue muy bueno lo que hiciste con ese perro. No sé si eso significa algo para ti.

Claro que significaba mucho, no era mi mascota, pero lo llamaba Rocky y siempre movía la cola cuando lo veía al salir del colegio cuando caminaba hasta el paradero del autobús. A veces guardaba mi colación para compartirla con él y el año pasado lo había visto herido. Pedí dos meses de mesada por adelantado a mis padres para llevarlo al veterinario. Gracias a esto, Rocky vivió tres años más. Siempre moviendo su cola al verme.

Fue cuando confirmé que mi abuelo no mentía y le creí todo lo que me había dicho y lo que me diría esa tarde de verano.

—Rocky —partí contándole a mi abuelo—. Un perro que lo quiero como si fuera mío y lo ayudé a sanarse. —Le conté lo que pasó.

Por segunda vez esa tarde jugó con mi pelo y me dijo que con razón la abuela estaba orgullosa de mí y que él también lo estaba.

Luego me contó que debía cuidar a mis padres, que sufrirían un tiempo su partida, pero que no debían guardar duelo más que unas semanas, me aseguró que sabía que todo no se acaba al partir y que mi abuela ya le había adelantado lo que vendría.

Cuando dijo eso se rio fuerte, fue la primera y sería la última vez que lo vi reírse, no sabía por qué, pero me reí con él.

—Te quiero, abuelo —le dije con la voz entrecortada.

—Sé que me quieres —me dijo, y por primera vez su voz no era fuerte—, y maldita mi enfermedad que no me ha permitido disfrutar a mi nieto.

Luego de ello me contó que tendría una buena vida, que estudiaría en la universidad una carrera que me gustaría. En ese tiempo no tenía idea qué haría el verano siguiente, menos pensaba qué haría después de terminar el colegio y que me casaría dos veces, y tendría dos hijos y que sería feliz hasta el final y… guardó silencio.

Sospeché en ese momento que él sabía cuándo llegaría mi fin y ahora, cuando escribo esto desahuciado hace unos meses, estoy seguro que fue así, y fue sabio al no contarme lo que vio, porque nadie debe saber su final. Yo he visto el de algunos, y tampoco se los he contado, pero eso es parte de otra historia.

Cuando me contó de mi futuro, me entregó el álbum, antes le dio un beso a la fotografía de mi abuela, y me pidió que lo dejara donde lo encontré.

Eso hice, subí y bajé de nuevo corriendo, quería que me siguiera hablando, pero cuando bajé, mi abuelo se había sentado en el sillón medio dormido, con su mirada perdida y creo que no se dio cuenta que yo estaba con él.

Prendí la tele y no recuerdo qué vi o si incluso si vi algo, ahora cerca del final, debió ser ese el primer momento de mi vida en que pensé más allá de lo que haría al día siguiente, pero de forma confusa. No recuerdo ya qué habré pensado esa hora y media o dos horas que estuve sentado con mi abuelo hasta que llegaron mis padres con comida para la media tarde.

Cuando llegaron me notaron extraño, pero tal y como me pidió mi abuelo, no les conté nada. Sólo les dije que tenía hambre y que estaba aburrido. Cuando dije eso, se miraron y asintieron.

Mi madre despertó a mi abuelo que estaba profundamente dormido y lo llevó a la mesa, tomamos la media tarde y nos fuimos.

Mi abuelo, como siempre, no se despidió porque ya no hablaba y en su estado habitual no recordaba nada. Aunque yo sabía que esa tarde recordó a la que fue su mujer y por única vez me trató como su nieto.

Esa noche al dormir, le pedí a Dios que cuidara a mi abuelo y a la semana siguiente asistí al primer funeral de los muchos a los que he asistido en mi larga vida.

Acabo de cumplir noventa años y parecen muchos, y también sé que llega mi fin. Esta semana vino mi mujer a verme, no la veía hace diez años cuando un infarto terminó con su vida. Vino a buscarme como mi abuela lo hizo con mi abuelo, y al igual que él, la sigo amando, así que espero la hora con su compañía.

JUEGO EXTRAÑO

Mi cuarto daba a la cocina en el primer piso de la que fue mi casa de infancia. Allí viví junto a mis padres hasta que nos mudamos cuando tenía diecinueve años.

Soy hijo único, así que solía entretenerme en los días de lluvia en mi pieza y si me daba algo de hambre, tenía todo a mano para hacerme un sándwich o calentarme comida que hubiese quedado del almuerzo o la cena, cuestión que siempre ocurría.

Esta historia, hasta ahora, sólo la sabe mi pareja, fue en una noche de copas y luego de tantos años de convivencia, en algún momento tenía que contar lo que paso aquella tarde de invierno.

Tenía diez años o quizás once, mis papás se habían ido de compras o eso fue lo que me dijeron después de almorzar, no llegarían sino por la noche, me dejaron comida de sobra para todo el día y pensé que ese sábado podría entretenerme jugando videojuegos en mi consola.

Apenas se fueron mis padres, tomé una botella de jugo de naranja, mi favorito, la llevé a mi habitación y encendí la consola. Estaba listo para jugar.

Algo pasó entonces: yo estaba ahí. En esos años las gráficas no son como las actuales, los protagonistas de los juegos eran básicamente figuras geométricas y gracias a la prodigiosa imaginación, asumíamos todos que eran simulacros de personas.

Así que cuando digo que era yo el que apareció en la pantalla, era exactamente yo, vestía la misma ropa que llevaba y cuando me habló, lo hizo con mi voz.

Me asunté mucho, así que apagué la consola y el televisor y me recosté en mi cama. Pensé en llamar a un tío que vivía cerca de nosotros para preguntarle si podía ir a su casa, pero desistí de hacerlo.

Al cabo de pocos minutos eternos, encendí de nuevo la consola y esta vez no me sorprendió que apareciera yo.

El control no funcionaba, no tenía dominio sobre lo que hacía el personaje —que era yo—, y en vez de jugar, tuve una conversación con mi alter ego.

Criticó mis notas en matemáticas, me dijo que esperaba más de mí, se sorprendió por mi éxito en deportes y me aconsejó escuchar más a mis padres.

El miedo se había ido, porque mi yo no saldría de la pantalla. Así que le dije que mis notas en la escuela no eran asunto suyo y que si escuchaba o no a mis padres tampoco tenía que importarle.

Se molestó e hizo algo increíble, tomó la espada del personaje principal y se cortó el cuello. La sangre salpicó la pantalla, se apagó la consola y lancé el grito más fuerte que he escuchado en mi vida.

Salí corriendo de mi pieza y me senté en el sillón del living, recordé la sangre en la pantalla y aunque asumí que no era real, regresé a la escena del crimen. Y ahí estaba la mancha. Fui a la cocina, tomé un paño y limpié la pantalla.

Dudé si encendería o no la consola. Decidí intentarlo. Me quedaban horas antes de que llegaran mis padres a casa y estaba lloviendo muy fuerte como para salir al patio o para andar en bicicleta.

Encendí la consola y el juego cargó con normalidad. Estuve jugando hasta que llegaron mis padres.

Cuando terminé de contar esto a mi mujer, soltó una carcajada y me dijo que le gustó mi historia de ficción. Yo me levanté, fui a nuestra pieza. En mi velador tengo una caja de madera que me regaló mi abuelo y ahí tenía un trozo de ese paño con el que limpié hace años la pantalla. Soy doctor en biología, así que practiqué un análisis de ADN a la sangre de ese paño hace un tiempo y en la caja junto a un trozo que conservo están los resultados. Pensé mostrárselos a mi pareja, pero al final no lo hice.

Así que me devolví y me cambié la camisa, diciéndole que se me había manchado. Tenemos una buena relación y quiero que me siga queriendo como hasta ahora y que ni siquiera imagine que pueda ser el personaje de un videojuego.

DESPERDICIO

—¿Es definitivo? —pregunté.

—Lo es —confirmó el médico.

Tengo treinta y nueve años, exitoso en mi profesión, he adquirido tres departamentos céntricos y dos terrenos cerca de la ciudad, tengo inversiones en acciones y otros títulos, nunca he tomado vacaciones porque no he querido perder mi tiempo y tengo entre tres y seis meses de vida.

Solo supe desperdiciar mis años y ya no tiene sentido cambiar, porque el tiempo que siempre supuse me sobraría hoy es el bien más escaso que tengo. Quizás siempre lo fue, pero ahora recién, al llegar a mi departamento y estar sentado en mi escritorio, me doy cuenta de ello.

No tengo pareja, tampoco hijos. Mi última relación duró tres años, pero cuando ella quiso que viviésemos juntos, decidí que no quería que ella ni nada interfiriera en mi vida. De eso ya han pasado casi cuatro años y no me arrepiento.

No viene al caso arrepentirse si ya no se puede enmendar nada.

Así que haré lo que la gente en mi posición ha hecho desde siempre y esto es lo último que escribo.

LISTADO

—¿Estás despierta? —le pregunté a mi mujer. Aún no amanecía.

—Ahora sí, dime —me respondió Carla.

—Tuve otro sueño, no de los normales.

—Cuéntame. —Ahora ella estaba más despierta que yo y se estaba levantando.

—Aparecía nuestra hija acá mientras dormíamos y te entregaba a ti una carta, nos pedía que sólo la leyeras tú.

—Pero nuestra hija no sabe leer —me respondió Carla, yendo hacia la cocina por un café.

—Lo sé, pero en el sueño eso no nos importaba. A lo mejor asumíamos que esa carta no era de ella. —Me levanté también y fui a la cocina para estar cerca de ella y seguir contándole el sueño—. Tú tomaste la carta y me pediste que me fuera de la pieza y eso hice.

—¿Y que hice yo, amor? —me preguntó mi mujer.

—Cuando cerré la puerta de nuestra habitación, te quedaste leyendo la carta, o eso creo que estabas haciendo, en voz alta a nuestra hija. No lograba captar muy bien tus palabras, así que no puedo asegurar nada.

Carla hizo el café para los dos y nos sentamos en la mesa que tenemos en la cocina. Ella se preparó unas tostadas y yo tomé un cereal en barra de la despensa.

—¿Era un sueño especial? —me preguntó.

—Eso es lo que creo y si es así, será uno de los malos —respondí. Me serví la segunda taza de café de la mañana. Carla hizo lo propio y continué—. Cuando terminaste de leerle la carta a nuestra hija, ella se puso a llorar y a gritar y golpeó con sus manitas la puerta. Tú le abriste y nos encontramos los tres ahí.

—¿Y qué pasó?

—Lo de la otra vez, Carla. Lo mismo de las otras veces. La carta se volvió de color rojo, la tomaste con tu mano izquierda y te quemaste. —Como en un acto reflejo, mi mujer se tomó el dorso de su mano, y se tocó donde tiene una marca de una quemadura reciente—. La botaste y yo la recogí y también me quemé la mano. —Tengo una marca similar a la de ella—. Y alcancé a leer la carta.

—¿Qué decía, Luis? —me preguntó casi a los gritos mi mujer.

—Que debemos elegir de nuevo quién morirá. Una persona menor de cuarenta años como nosotros, en buen estado de salud como nosotros, con un hijo de menos de cinco años como nosotros y con estudios universitarios como nosotros, nos enviarán un listado con nombres a mi correo electrónico para elegir un candidato. —Suspiré y encendí un cigarrillo, pese a que sólo fumaba los días viernes o sábado si bebía algún trago.

—¿Y nada más? —me preguntó Carla ya con un tono de voz algo más normal.

—Es el mismo sueño de las últimas siete oportunidades, del listado debemos elegir a alguien que además de todo lo anterior no conozcamos y recalcan que si no lo hacemos, nuestra hija será la que fallezca. Ya hemos decidido que no podemos correr el riesgo de que todo sea cierto.

Luego de decirle esto último, se echó a llorar y sólo atiné a abrazarla.

No sé cómo decirle que en el último listado que llegó a mi correo no había nombres que no conociéramos.

CASA DE CAMPO

Hicimos el internado juntos, fuimos compañeros todos los años en la facultad y me enamoré de ella muy pronto, creo que al mes de salir ya quería estar con Antonia todos los días de mi vida y así ha sido desde el segundo año de medicina.

Luego del internado, por nuestras especialidades, ella endocrinóloga y yo psiquiatra, vivimos un tiempo en ciudades distintas, pasando los fines de semana o en mi casa o en la suya, hasta que pude establecer mi consulta cerca del hospital donde trabajó siempre.

Nos casamos, tuvimos dos hijas que ya no viven con nosotros y al jubilar vendimos uno de los dos departamentos que teníamos en la ciudad y con el dinero de la venta compramos una parcela en el campo con una pequeña casa. Siempre hablábamos de que nos gustaría vivir en el campo y ya retirados eso hicimos.

Cuando nos mudamos, nuestras hijas estuvieron con nosotros para despedirnos de la que fue nuestra casa por tantos años y llegamos a nuestro nuevo hogar solos.

Pospusimos por décadas vivir en contacto con la naturaleza por nuestros trabajos, así que estábamos ansiosos por disfrutar el ocaso de nuestras vidas y como suele ocurrir con los deseos satisfechos, alcanzado el objeto, la realidad no era como la imaginábamos y con el paso de algunos meses, nuestro deseo se transformó.

Pronto, muy pronto, nos dimos cuenta de que extrañábamos ciertos beneficios que no estaban a una distancia prudente de nuestro nuevo hogar. Solíamos acudir a exhibiciones en museos, paseábamos por las tardes yendo de librería en librería ojeando libros y comprando varios, íbamos al cine los sábados por la tarde y cenábamos en algún restaurant desconocido por la noche y ya no podíamos hacer nada de eso en nuestro nuevo pueblo. La ciudad más próxima distaba a unas dos horas, y por ello decidíamos quedarnos en casa solos disfrutando de alguna película o bebiendo alguna botella de vino con la chimenea encendida casi todos los días.

La soledad se vuelve adictiva, mi práctica profesional y no tanto los textos me lo han corroborado, y nos acostumbramos los dos a estar solos. Nuestras hijas nos visitaban de forma muy esporádica y no nos quejábamos, nosotros en su tiempo hicimos lo mismo con nuestros padres, nuestro vecino más cercano estaba a treinta minutos de nuestra parcela y para las provisiones, acudíamos a un supermercado de la ciudad una vez al mes en los primeros tiempos y luego íbamos una vez cada dos o tres meses.

Las frutas y verduras las teníamos gracias a un repartidor que todos los sábados tocaba nuestra puerta, era el único contacto habitual que teníamos cara a cara con alguien y llegó un punto en que incluso ese contacto nos incomodaba. Lo hablamos con Antonia, y decidimos pegar un cartel en la puerta que decía «Hola, estamos algo agripados, nada grave, preferimos quedarnos en nuestra habitación. Por favor, necesitamos lo siguiente: ...». Allí colocábamos las frutas y verduras que necesitábamos para la semana y a don Pedro le dejábamos el pago correspondiente con el pedido del sábado siguiente. Nos gustan las verduras y frutas frescas.

Nos fuimos desapegando de todo. La señal telefónica era intermitente y de baja calidad, lo mismo ocurría con internet. Dimos de baja ambos servicios y si nuestras hijas querían saber de nosotros, tenían que venir a nuestra casa y como ya dije, eso ocurría cada vez con menos frecuencia.

La primera vez que estuvimos dos meses sin tener contacto personal con nadie, fue un día de celebración. Antonia fue la que reparó en ello.

—¿Te diste cuenta, Ricardo, que han pasado dos meses sin que veamos a nadie? —me dijo luego de terminar de almorzar.

—No, amor. La verdad ahora que me lo dices hubiese dicho que llevábamos un mes desde que vimos a Pedro, pero te creo si me dices que son dos meses —le respondí a mi mujer.

—Créeme, y tenemos que celebrar estos dos meses de libertad.

Nos levantamos de la mesa y eso hicimos. Abrimos dos botellas de vino, un destilado que teníamos reservado para una ocasión especial y nos emborrachamos como cuando teníamos veinte años. Eso sí, pagamos como ancianos. No alcanzamos a llegar a nuestra habitación al caer la noche y recién al cabo de tres días nos recuperamos completamente.

Una de nuestras hijas nos quiso visitar, nos envió como antaño una carta, no recibíamos una hace décadas. Nos pedía que le respondiéramos para visitarnos y si no recibía respuesta, entendería que no queríamos verla. Leímos la carta y ninguno de los dos quiso ir a la ciudad donde aún había una oficina de correos para decirle algo a nuestra hija.

Para evitar ir a la ciudad, contratamos al mismo Pedro para que aparte de traernos frutas y verduras los sábados, cada dos semanas fuera a la ciudad y nos comprara lo que quisiésemos de allá o fuera al banco con un cheque nuestro para tener efectivo, las viejas costumbres no se pierden y siempre hemos preferido tener dinero en papel para pagar. Nos gustaba Pedro por nunca ha insinuado que quisiera vernos, lo que agradecemos y ahora su hijo que lo reemplazó hace lo mismo.

Gozamos de buena salud y tengo un par de colegas que, en caso de requerirlo, vendrían a mi casa a examinarnos sin problemas, cuestión que no ha acaecido en todos estos años.

Mañana cumpliremos diez años desde que vimos por última vez a alguien, ya no nos interesan nuestras hijas, cumplimos con criarlas bien, y hemos decidido que preferimos morir rápido antes que ver a algún médico o personal de salud que nos atienda. Quizás podríamos optar por telemedicina, pero incluso la idea de ver a alguien en una pantalla nos causa ansiedad y molestias.

Ni Antonia ni yo somos partidarios de la eutanasia, pero ambos, por nuestra profesión, sabemos qué hacer en caso de requerirlo.

Y todo comenzó cuando decidimos cumplir nuestro sueño de juventud, vivir en contacto con la naturaleza, nuestra propia casa de campo, sin ella, aún tendríamos contacto con personas. Evaluando todo lo vivido, han sido estos últimos años los mejores de nuestras vidas.

JAVIERA

Soy psicólogo clínico desde hace cuarenta años, de orientación psicoanalítica jungiano en mis inicios y con el tiempo he derivado a un cierto eclecticismo como la mayoría de mis colegas veteranos de la práctica clínica. Me enamoré de una paciente y ella de mí. Nos casamos y tuvimos un hijo. Recibí críticas de algunos de mis colegas por esa relación, pero ni a ella ni a mí nos importó demasiado. Se llamaba Javiera, murió en un accidente de tráfico hace treinta años. Alcancé a vivir con ella siete años y cuando falleció pensé en el suicidio, pero no como posibilidad real. Tenía un hijo a quien cuidar de once meses, y sabía que con el tiempo podría volver a vivir cuando el dolor de su pérdida se convirtiera en un recuerdo, el peor recuerdo de mi vida, pero recuerdo al fin de cuentas, y eso ocurrió.

Después de ella tuve algunas relaciones pasajeras y dos estables. Con la última nos separamos después de ocho años de convivencia en buenos términos hace cinco, y hoy con casi sesenta y cinco años no espero ni creo que vuelva a convivir con alguien.

Hace un mes atiendo a una paciente, Javiera. Tiene treinta años, pelo castaño oscuro, piel blanca, unos ojos verdes o pardos y una voz que suelo escuchar varias veces después de las sesiones. Las grabo con el consentimiento de mis pacientes. Para casos complejos suelo escucharlas para profundizar sobre eventuales diagnósticos y revisar mi actuación, pero en este caso, lo hago sólo porque me gusta y porque me recuerda a Javiera, la madre de mi único hijo.

—Buen día, José —siempre me llama por mi nombre y eso me gusta.

—Buenos días, Javiera. ¿Te parece si repasamos lo último de la sesión pasada? —le dije y más o menos de esa forma comienzan todos nuestros encuentros.

Más de treinta años de diferencia son demasiados como para pensar siquiera en tener una relación con ella, así que esa posibilidad está en el escondido reducto de mis fantasías y estoy seguro de que no ocurrirá.

Cuento todo esto porque mi hijo, que es psiquiatra, me acaba de comentar que está saliendo con una paciente. Conoce la historia de cómo nos conocimos con su madre, y está recibiendo las mismas críticas que yo recibí cuando la conocí a ella.

—¿Qué tal, papá? ¿Cómo va la vida? —me dijo por teléfono.

—Bien, hijo. En mi consulta estos días atendiendo a mis pacientes y en mi casa tuve esta semana un problema con una cañería, pero el gasfíter ayer lo arregló —le respondí.

—¡Qué bueno! Oye, papá, estoy saliendo con una paciente —mi hijo siempre ha sido directo— y quiero saber qué opinas.

Cuando me dijo eso, sonreí y guardé silencio un momento, recordando lo hermosa que era su madre y le respondí.

—Si están saliendo, cuídala de comentarios que pueda escuchar, y aparte de ese consejo, te deseo tanta suerte como he deseado en todas tus andanzas con señoritas.

Escuché la risa de mi hijo en el teléfono y con un «te quiero, papá» y un «te quiero, hijo», terminó nuestra conversación.

Seguí atendiendo a mi paciente Javiera por un par de semanas. La di de alta y me quedé con sus grabaciones, que escuché por una última vez, y las borré.

Espero que mi hijo tenga la misma fortuna que yo tuve con Javiera con la paciente que está saliendo. En cierto sentido nunca he dejado de amarla y quizás eso explica porque prefiero vivir solo y porque con las parejas que tuve nunca me sentí como con ella.

Nunca le he contado esto a mi hijo, pero yo lo pude criar gracias a su madre. Me he dado cuenta con el tiempo que no sólo porque era un bebé no ideé nunca un plan suicida, sino que también y fuertemente porque la amaba y mi pensamiento mágico, ajeno a mi práctica profesional, me hacía creer en algún nivel que ella podría verme y no quería que lo hiciera de ese modo.

Jubilaré el próximo año y espero contar en extenso cómo conocí a mi mujer, quizás sólo para que mi hijo y futuros nietos puedan conocerla a ella como yo la amé y, por cierto, la pareja de mi hijo también se llama Javiera.

INVITACIÓN

Le escribí algo, ebrio. Quiero ser sincero y debería eliminar el *algo*. Apenas recuerdo lo que le escribí anoche. En ese estado pensé que sería buena idea enviarle una foto suya que he guardado en mi teléfono para decirle que se veía preciosa, pero no alcancé a escribir nada y ahora revisando los mensajes, no se entiende qué estaba escribiendo, pero esa era la idea: enviarle la foto y decirle que se ve preciosa todos los días, pero en especial con esa blusa blanca y con su pelo fino, castaño si le llega el sol, o negro si el día está nublado.

No digo que estoy enamorado ni mucho menos, estoy demasiado viejo para enamorarme. Alguna vez lo hice y los resultados no fueron los esperados, para exponerlo de un modo que no reabra heridas.

Sí me gusta muchísimo.

A propósito de ella quiero contar algo. Ayer estaba ordenando un poco mi habitación y encontré un reporte mío de mi época preescolar. Lo leí y me llamó la atención que ya apuntaban a que podía expresarme adecuadamente acorde a mi edad, que podía relatar historias, pero que abruptamente llegaba al fin.

Como lector de algún cuento, relato, fábula, novela, obra que me gusta, evidentemente quiero llegar pronto al fin, luego no me extraña que de pequeño haya querido hacer un favor al resto, apresurando los hechos para que se enteraran lo antes posible del resultado.

Ahora, lo mismo. La invité a salir como si el viernes por la noche no le hubiese escrito nada y cenaremos este lunes después del trabajo.

Boleto de lotería

Casi nunca participo de juegos de azar. Pasé al banco para cotizar un crédito y al lado había una agencia de lotería, entré, pedí un boleto cualquiera, lo pagué y lo guardé. El sorteo era el domingo. En mi oficina en la mañana del lunes junto con revisar la bandeja de correos, ingresé al sitio web para revisar mi boleto y gané cerca de un millón de dólares. Hice lo que todo oficinista haría, luego de revisar unas diez veces los resultados del sorteo, redacté mi carta de renuncia, la envié por mail, tomé las pocas pertenencias de mi escritorio, me despedí de todos y partí a celebrar.

Había terminado con mi pareja hace unos meses y no estaba viendo a nadie, pero siempre hay amigos. Llamé a varios y me junté con tres de ellos a almorzar en un restaurante del centro.

Antes de que llegaran, ya había pedido dos aperitivos, una sangría y para comer, lasaña. Cuando llegaran podría almorzar nuevamente, me sobraba tiempo y dinero y eso hice a la media hora, almorcé un bife a la plancha con ensalada de lechuga.

Nos emborrachamos bastante, y nos reímos aún más.

Les pedí a mis amigos que nos juntásemos el sábado en el mismo restaurante a la misma hora y todos accedieron.

El resto del día dormí en mi casa. El miércoles fui al banco, no ya a cotizar un crédito, sino a pedir que, a través de ellos, cobraran el premio y eso hicieron. El jueves pagué por adelantado tres meses de renta del departamento que arriendo, el viernes ordené mi departamento y el sábado llegamos los cuatro al restaurant.

Otro almuerzo abundante, bebida regada, terminamos a eso de las diez de la noche.

Han pasado tres años desde esa semana, del millón de dólares he pasado a tener casi tres, mis tres amigos siguen siendo los mismos, y he preferido no mantener ninguna relación sentimental seria porque desconfío de las intenciones de mis parejas ocasionales. Antes confiaba en todos, ahora sólo en mi contador, que es mi tío favorito.

Ya no me levanto de lunes a viernes temprano, porque no trabajo. Salvo ese cambio, mi vida sigue tan monótona como siempre y pese a que siempre quise compartir mi vida con una mujer, ahora con el patrimonio que tengo, lo veo muy improbable.

En resumen, me ha gustado haber ganado la lotería, aunque a tres años de ello, me hubiese dado lo mismo no haber comprado ese boleto.

EL HACHA

Encontré el hacha, unos cuarenta años después.

Ahora vivo en la ciudad, pero fui nacido y criado en el campo, vida dura y tranquila, con escasez y frío en invierno, pero con lindos recuerdos del verano, cuando ayudaba en la cosecha a mi padre y tomaba mate cebado por mi abuela.

Mi madre se encargaba de la casa junto con ella, que murió de un infarto repentino cuando yo tenía casi ocho años y mi abuela cincuenta y siete.

Mis padres fallecieron hace algunos años, pero recién ahora con mis hermanos hemos decidido vender el antiguo campo de nuestra familia que heredamos. Ahora que lo veo, me parece pequeño, pero cuando yo lo era, tenía para mis ojos las dimensiones de la ciudad en la que ahora vivo.

El último año en que viví en el campo perdí el hacha, recuerdo que mis padres estaban evaluando si me enviarían a la ciudad a seguir estudiando o si me quedaría con ellos para hacer mi vida en nuestro pueblo. Yo no tenía mucho qué decir, en esos tiempos los padres decidían por los hijos y aunque yo ya me consideraba un hombre, con doce años mi suerte y destino estaban en sus manos. Decidieron que tenía que irme al finalizar el verano al internado de la ciudad.

Me prometieron enviarme dinero todos los meses, lo que siempre cumplieron. Y me dijeron que me irían a ver cuándo pudieran. Sólo dos veces en esos largos años de internado me fueron a ver, yo iba todos los inviernos y veranos a la casa que dejó de ser mía en cierto sentido y pasó a ser sólo la casa de mis padres y la de mis hermanos pequeños.

Pero el hacha se me perdió. Eso creí en ese momento y es lo que sigo creyendo pese a todo. Mi padre me pidió que picara astillas para hacer fuego y que partiera un tronco grande para ir echándolo a la cocina a leña que teníamos. En esos tiempos, una cocina a gas sólo la había visto en una revista que llevó un profesor a la escuela y al igual que ahora, no me gustó ese fuego azulino que se veía en la imagen, tan distinto al fuego rojo de la estufa o de nuestra cocina.

Hice lo que mi padre me pidió y al terminar de picar y cortar leña, dejé el hacha donde siempre, en la leñera, a simple vista, para que cualquiera que entrara no tuviera que buscarla. Es cosa compleja no encontrar el hacha, se puede pasar frío si no hay leña y hambre si no se la encuentra.

Por la tarde de ese día, mi padre que estaba en la cosecha, luego de terminar de almorzar, me pidió que cortara toda la leña que pudiera. Eso significaba de cinco a seis sacos y eso pretendía hacer apenas nos levantamos de la mesa.

Fui a la leñera y no estaba el hacha. La busqué ahí mismo, encima de los troncos, y nada. Fui donde hacía las astillas y ni rastros de ella, y por último revisé toda la casa para ver si había entrado con ella y no estaba en ningún lado.

Desesperado, saqué uno a uno los troncos que estaban en la leñera, pensando que el hacha se pudo haber caído y que podría estar entremedio de algo. Me demoré más de una hora en sacar y entrar los palos, y nada.

El hacha no estaba y mi padre, que nunca nos pegó, sí se molestaba cuando no le hacíamos caso y nos castigaba. Esa vez cuando llegó cansado a la casa para cenar, en vez de comer lo que había preparado mi madre, tuvo que ir al único negocio del pueblo, pedirle a don Arcadio que abriera el local que tenía en su misma casa y que le vendiera un hacha, la que tuviera. Y la que tenía era de pésima calidad.

No recuerdo después de tantos años el castigo, pero aunque le juré que no había perdido el hacha, incluso yo sabía que el único responsable era yo.

Como pese a todo era sólo un hacha, no creo que hubiésemos hablado más del tema, y ahora apareció.

Como ciertas costumbres siempre vuelven, aun después de muchos veranos e inviernos sin ir a la casa de mis padres que ya no estaban, lo primero que hice fue entrar a la leñera. Ya no era como cuando era niño para picar astillas y encender el fuego, también en los últimos tiempos mis padres tenían una cocina a gas y la de a leña la habían vendido. Ninguno de ellos, viviendo solos, tenían ya las fuerzas para buscar los palos y trozarlos, así que hicieron lo que casi todos los vecinos del pueblo ya habían hecho: reemplazar esas viejas cocinas a leña por esas modernas a gas con ese fuego de color azul que no es el color del fuego.

Entré a la leñera y ya no estaba seca como antes. El techo casi no existía y había olor a humedad y ningún palo que cortar, pero había un hacha.

Me sorprendió verla, de mango de madera; y tenía filo, casi me corto la mano cuando la tomé sin el cuidado que tenía de niño.

La tuve entre mis manos no sé cuántos minutos, pero no fueron pocos. No soy de llorar, ni siquiera lo hice en el funeral de mi padre, aunque sí vertí alguna lágrima cuando murió mi madre antes que él, y me acordé del hacha perdida y de todo lo que viví en la que fue mi casa.

La vida suele ser dura y pocas veces he sentido que me acurruca como lo hacía mi abuela en esta casa y ver un hacha, como la que perdí de niño, fue el mejor regalo de despedida que tuve. Luego de ese día nunca más volví al que fue mi primer hogar, vendimos la propiedad con mis hermanos a los pocos meses de esta última visita.

No les conté nada de esto a ellos ni a nadie. Entré solo a la leñera y solo me fui. Eso sí, con los ojos más húmedos y con ganas de ver a mi hijo que está estudiando en otra ciudad y que hace tanto tiempo no veo.

EL ESPEJO

Me gustan las antigüedades, así que cuando puedo voy a una feria de mi ciudad donde puedo encontrar muebles y adornos antiguos, una que otra vez se puede ver alguna vitrola que, si está en buenas condiciones, se vende a un alto precio, pero generalmente los muebles y adornos son los que están a la venta.

En el living de mi casa hacía falta un espejo, así que eso busqué hace un par meses. Había varios y elegí uno ovalado y con un marco de madera en buen estado. El vendedor no sabía de qué año era, aunque se veía antiguo y de mi total agrado.

Lo instalé en el living y como ocurre con todos los espejos, al cabo de pocos días no le presté mayor atención, como tampoco me fijo en las sillas o en la mesa del comedor.

El martes pasado, al llegar a mi departamento, sí reparé en el espejo, no estaba en el living. Fui a mi habitación y ahí estaba colgado, y me extrañó. Mi novia tiene las llaves del departamento y yo las del suyo, así que asumí que ella lo había cambiado de lugar, aunque nunca había cambiado nada de posición cuando yo no estaba.

La llamé por teléfono, y antes de hablar de lo de siempre, de cómo íbamos en nuestros trabajos y de cuándo nos veríamos, si dentro de la semana o ya el viernes, le pregunté por el espejo, y me dijo que no había ido a mi casa este día.

Al colgar, tomé el espejo y estaba más pesado que la vez que lo compré o eso fue lo que creí. Lo llevé al living y lo dejé en su lugar.

Siempre ceno en el mismo sitio, en la silla que da a la ventana, pero esta vez no lo hice. No quería estar frente al espejo. Terminé de cenar, me cepillé los dientes y me acosté a dormir.

El despertador, de lunes a viernes, lo fijo a las siete, pero el miércoles desperté unos minutos antes y lo primero que vi al encender la luz, justo cuando empezó a sonar el despertador del celular, fue el espejo, y me aterré.

Salí rápido de mi pieza y como si sirviera para algo, encendí todas las luces, me duché más rápido de lo habitual, en vez de ponerme la ropa en mi habitación lo hice en el living y salí veinte minutos antes de lo habitual al trabajo.

Fue un día largo, reuniones desde la primera hora hasta que terminó el día; y pese a lo ocupado que estuve, no pude dejar de pensar en el espejo.

No quería llegar a mi casa, pero tenía que llegar y lo hice cerca de las ocho de la noche. Abrí la puerta, encendí la luz y el espejo ahí estaba, en el living, mirándome.

No me desmayé, pero creo que faltó muy poco. Saqué mi celular del bolsillo para llamar a mi novia, pero no había señal y ahí estaba el espejo, mirándome, y lo peor era su reflejo, yo.

Nunca pensé que iba a pagar por haber asesinado a mi exnovia, y ahora no puedo despegar ese maldito espejo de la pared.

EN TIEMPO REAL

Reunión, diez personas, y estoy sentado frente a ella. Hicimos el amor anoche en su casa, pero acá nadie sabe lo nuestro, no porque queramos esconder algo o nos parezca inadecuado, sino solamente porque recién estamos saliendo.

Me encanta su piel y sus labios y todo y poco me interesa esta reunión y casi cualquier reunión.

Ahora me toca intervenir.

Me preguntó uno de los expositores mi opinión sobre el proyecto, le respondo que me parece una muy buena idea enfocada en las necesidades de la gente y que cuenta con mi apoyo.

Queda conforme con mi respuesta, asumo. Me he dado cuenta con los años que tengo la capacidad de poder dar respuestas adecuadas sin contar con demasiada información y pude responder pensando en quién tengo enfrente y no en la exposición.

Lo bueno es que estoy escribiendo en mi computador estas líneas y deben asumir que estoy tomando notas de lo que se discute. Quizás alguien sospeche que estoy en algo distinto, pero no lo creo.

Pocas veces escribo en las reuniones. Mi última agenda la tuve en el colegio, la entregaban a inicio de cada año y la ocupaba en los últimos cursos sólo para ir tarjando en el calendario los interminables días que transcurrían, cada uno muy parecido al anterior, como ocurre hasta ahora.

Y la sigo viendo, me gusta cómo toma el lápiz para escribir, y los aros pequeños que lleva y un pañuelo de varios colores en su cuello, ayer tenía otro. Hoy tiene distinto el pelo, algo suelto y le cae por sus hombros. La besaría ahora mismo, pero estamos en reunión.

No sé si el resto de los reunidos en la mesa estén interesados en lo que se discute. Andrea, que está al lado de Loreto, toma nota y un colega al lado mío, también.

Pasan por el proyector imágenes y textos sin citas. Eso me llama la atención de las presentaciones, prácticamente nunca mencionan la

111

referencia de la información que exponen. Mi tesis al respecto es que inconscientemente saben que nadie está atento y que por ello resulta inoficiosa la remisión a los antecedentes que tuvieron a la vista, si es que tuvieron alguno.

Termina la primera presentación, receso, voy por un café. Me gusta el café y puedo estar cerca de ella. Me encanta su perfume más que el aroma del café y eso es algo que pocas veces puedo decir. Llueve. Y la sigo viendo. También veo la lluvia en un ventanal detrás de ella. Hace algo de frío y está usando una chaqueta negra que me gusta. Así como voy, es probable que use lo que use, termine por gustarme.

Ahora veo sus manos, ayer las tenía encima de mí y estoy muy lejos de ella como para susurrarle algo.

No quiero enviarle ningún mensaje, para que no sepa que estoy pensando todo el día en los besos que nos dimos o en cómo ella se sentaba encima mío y ni decirle en lo hermosa que es. Podría estar toda una tarde mirándola y sería lo más lindo que vería ese día. Si llegamos a ser algo más que amantes con el tiempo, le podré mostrar esto que escribí después de la primera noche que estuvimos juntos. Guardaré este archivo y lo tendré para enviárselo en algún aniversario o para su cumpleaños en noviembre.

La reunión lleva alrededor de una hora y se me hace eterna. Almorzaremos juntos este día y no sé si nos iremos de la mano al restaurant cuando salgamos de la oficina. Espero sí irme sólo con ella, no quiero estar con otros colegas.

En el restaurant sí o sí le tomaré la mano y veré cómo reacciona ella o quizás ella tome mi mano al terminar la reunión y si lo hace, no sé si aguantaré no besarla.

Termina la segunda exposición y no sé si es la última o falta una. Toma la palabra el presidente y se acaba la reunión.

Cierro mi computador y ella me está sonriendo.

Fuimos a almorzar. Me toma la mano cuando salimos de la oficina, caminamos unos pasos y la beso. Tiene unos labios perfectos. Se aprieta contra mí cuando nos besamos o yo lo hago, y estamos así un buen rato.

No se ven demasiadas demostraciones de afecto entre parejas en lugares públicos. Lo bueno es que ni a ella ni a mi nos importa besarnos si queremos, mientras no sea en la oficina, no vemos por qué no hacerlo.

Le dedico en el camino la canción *I'mnot in love* de 10cc, porque no le voy a decir que la amo si recién ayer hicimos el amor. Aunque si me preguntara, sería sincero y le diría que le respondería que sí en unas semanas más. Y si me dijera que es mucho tiempo, ahora sí que sería sincero y le diría que esas semanas podrían ser unos días solamente. Disfruto los almuerzos, pero lo que pedí se enfrió. Me dediqué a mirarla y a conversar con ella. Me dan ganas de besarla cuando estoy al lado de ella o cuando no estoy al lado de ella o cuando ella come y me está mirando o cuando sonríe o cuando habla o cuando está en silencio.

No puedo decirle todo esto, nos han enseñado, y quién sabe si con razón o no, que no hay que apresurarse en esto de relaciones de pareja. Además no somos jóvenes como para ir cantando por las calles cuando uno se enamora, aunque de todos modos, desde que la conozco canto más, tan mal como siempre, pero más.

Nos vamos caminando lento hacia la oficina, tomados de la mano. Creo que le enviaré lo que le escribí en la reunión de la mañana cuando esté frente al computador, pero aún no le diré que me estoy enamorando de ella. A no ser que me lo pregunte, si lo hace esta noche en mi casa, no podré decirle que no.

Prisión preventiva

—¿Es la última confesión? —me preguntó el fiscal a cargo del caso.
—Es la última y sustancialmente es la misma que la primera — respondí.
Me llevaron a mi celda esposado. Ya me había acostumbrado a estos interrogatorios imprevistos y a mi gusto improvisados. Una mierda mi abogado defensor, nunca me avisaba cuándo me pedirían declarar y nunca por lo mismo me acompañaba cuando el fiscal volvía una y otra vez sobre lo mismo. No sé cuánto le pagará el Estado por defenderme, a lo mejor es tan poco que no valgo la pena ni para lo mínimo y a lo mejor ni siquiera es el mismo con el que me entrevisté la última vez.

Confesé hace veintitrés años que había injuriado al presidente y por ese motivo estoy en prisión preventiva desde que me aprehendieron en una manifestación en su apoyo.

No repetiré lo que le dije. En ese momento el delito de injurias tenía una pena de dos a cuatro años de presidio, pero aumentaron las penas y extendieron la posibilidad de mantener a los perpetradores de ese delito en prisión preventiva *ad infinitum* o hasta que el presidente decidiere poner término a la prisión, por medio de decreto supremo fundado suscrito por todos sus ministros.

Nunca el presidente ha dictado un decreto supremo sobre la materia, y somos alrededor de quinientos los presos que lo estamos sólo en esta cárcel por injuriarlo.

Los primeros años fueron los peores. La primera audiencia fue a los tres meses y cinco días de estar en prisión, donde el fiscal se remitió a leer mis declaraciones y el juez ante la petición de fiscalía en orden a que se mantuviera la prisión preventiva, la acogió sin darle traslado a mi defensor, quien recién cursaba su primer año de sus estudios en Leyes y que, por su cara de imbécil, me hizo cuestionar cómo el sistema educativo del país tolera que estúpidos cuenten con estudios superiores.

Ese imbécil es hoy y desde hace cuatro años, ministro de Justicia, y ni se acuerda que fue mi representante en esa audiencia.

La segunda fue exactamente al año y se representó el mismo guion, la tercera dentro de ese año lo mismo y ya para la cuarta preferí no asistir, no era obligatorio.

Tenía esperanzas que primara la cordura, incluso el presidente declaró en una ocasión, al sexto o séptimo año de mi encarcelamiento, que le parecía, en ciertos casos, desproporcionadas las penas asignadas por ley al delito de injurias en su contra. Asumí que era una puerta a la revocación de mi prisión preventiva. Eso le comenté a mi abogado de turno. Le solicité que impetrara audiencia de revisión y eso hizo. A los seis meses en audiencia no sólo se mantuvo mi prisión, sino que se autorizó la práctica de apremios en mi contra, pero sólo en el solsticio de verano, lo que de cierto modo me reconfortó, porque no tengo idea qué ese ese solsticio, y los gendarmes, tampoco.

Con esa decisión perdí toda esperanza. Una vez por semestre está mandatada fiscalía para interrogarme y cada vez confieso lo mismo, confirmo mi primera declaración y últimamente pido que dejen de molestarme y que no interfieran en la privacidad y tranquilidad de mi celda.

Debo decir que soy afortunado. Esta celda está en una cárcel subterránea en una ciudadela construida con fondos reservados para el caso que alguna catástrofe tornara imposible o extremadamente dificultosa o riesgosa la vida en la tierra al aire libre, y eso ocurrió hace poco más de dos décadas, así que soy uno de los pocos supervivientes que quedan no sobre la faz de la Tierra, pero sí bajo ella.

Estar privado de libertad injustamente, contrario a lo que muchos afirmaban, es un precio justo por la vida.

ACTO DE MAGIA

Soy mago aficionado. Uno de mis primeros recuerdos de infancia es haber recibido de parte de mis tíos para Navidad un juego de magia, en una cajita negra con algunos símbolos en color plateado. Cuando abrí la caja, lo primero que vi fueron las cartas. Quedé asombrado de los colores y las formas de los naipes ingleses. Nunca había visto una baraja y no sabía que en una lámina tan pequeña podía haber tantos dibujos.

De ese primer encuentro han pasado unos treinta años y a veces los fines de semana acudo a bares y entre copa y copa de los clientes, hago mis trucos de cartas en las mesas.

El viernes acudí a un bar que administra un amigo. Esta vez fui solo y no con mi novia que tenía el cumpleaños de una amiga de una amiga y acordamos que me llamaría cuando estuviera desocupada.

Comenzó el viernes como una noche de bar normal, parejas riéndose, grupos de amigos hablando fuerte y pocas mesas vacías.

A eso de las diez y media, un asalto. Ingresaron dos jóvenes de no más de veinte años, con armas de fuego y empezaron, mesa por mesa, a robar las billeteras, carteras, joyas y celulares de los comensales. Y llegaron hasta donde yo estaba.

—Suelta todo, mago culiao —gritó el más joven.

Y mientras absurdamente pensaba hacer un acto de magia, me disparó.

Un día en el campamento

Cruzaron el monte y ahí levantaron el campamento don Ramiro y don Belisario.

—A matear, Belisario —le dijo a su amigo al terminar la faena. Eso hicieron. Encendieron la cocinilla, calentaron el agua, don Ramiro cebó el mate para los dos y comieron tortas que sus hijas les habían preparado por la mañana.

Desde niños hacían estos viajes, primero con sus abuelos y padres, luego sólo con estos últimos, y en años recientes, iban juntos en la panga de don Belisario, a buscar leña en el monte, cruzando el río.

Ese día que comenzó como tantos terminó como nunca. Don Ramiro fue al río, aun con una torta a medio comer en su mano izquierda, a llenar dos bidones y mientras él iba a peso lento y silbando una canción que ya era famosa cuando su padre aun no nacía, don Belisario moría.

Tenía problemas cardíacos, hace dos años había sufrido un infarto y ahora el segundo fue el último.

Cuando llegó don Ramiro y vio a su amigo, pensó que estaba durmiendo, ambos tenían ya sus años y a veces él mismo se veía dormitando después de comer algo.

Dejó los bidones bajo la carpa, se puso sus botas de goma y entró a buscar la motosierra. Se extrañó que su amigo no hubiese despertado por el ruido que estaba haciendo y lo llamó en voz alta.

—Belisario, tamos listos pa´ la leña.

Esperó unos pocos segundos y silencio, roto sólo por unos goterones que empezaron a caer. Al ver que no llegaba, salió de la carpa. Seguía en la misma posición, recostado. Le llamó la atención que su amigo no se moviera con la lluvia ya cayendo algo más fuerte sobre su cara.

Se acercó a él y lo zamarreó despacio. No se movió. Le habló fuerte y no le respondió, por lo que le tomó la muñeca derecha y no sintió nada.

Don Ramiro no lloró la muerte de su amigo. Le habían enseñado que los ojos sólo servían para mirar y poco más, y la lluvia mojó su cara y sus ojos estaban más húmedos que hace algunos minutos.

Llevó a su amigo a la carpa, lo cubrió y fue por la leña. Ambas familias la necesitaban y asumió que, al llegar con los preparativos para el velorio y el entierro, si no la llevaba ahora no lo podría hacer sino en varios días.

Tomó su motosierra, un bidón de agua —ya no necesitaba el otro, se dijo— y partió a cubrir la cuota de dos.

La leña estaba a un par de kilómetros del campamento y tenía prisa. Debía llegar con luz de día y avisarle a la viuda de lo que había ocurrido, así que la faena que con su amigo le hubiese tomado entre cinco y seis horas, la terminó en poco más de cuatro.

Estaba todo listo. Colocó a don Belisario en la proa y le acomodó la cara para que le diera el viento. Sabía que ya ese cuerpo no podría sentir nada, pero quiso que el aire le llegara a su amigo por última vez, antes que lo cubriera la tierra hasta que su rostro curtido tan conocido pasara a ser carne de gusanos.

El viaje fue tranquilo. Amarró la panga al muelle y fue a la Capitanía de Puerto para avisar del deceso de su amigo. Llamaron al médico del pueblo y llegó la familia de don Belisario y de don Ramiro.

Abrazó a la ahora viuda y le dijo que no sufrió, que se durmió y que murió quizás sin saberlo, tal vez como ocurra con todas las muertes y que su cara así lo reflejaba.

Y era verdad, la cara era la misma de la mañana, rostro viejo y arrugado y ni ayer ni ahora un rastro de amargura cursaba su piel morena. Había vivido una buena vida de casi setenta años y terminó en plena faena.

El velorio duró tres días y hubo asado de vaquilla y cordero al palo para todo el pueblo que se reunió en el gimnasio de la escuela. Al entierro fueron todas las embarcaciones, algunos hicieron dos viajes y una hizo tres.

La viuda llegó a su casa después del funeral. Ahora sola y cansada, se durmió apenas llegó la noche porque mañana ahora ella y no don Belisario tendría que ir con don Ramiro a buscar leña para su hogar.

EL DON

Mi abuela me contó que unos de sus primeros recuerdos fue una conversación con un ángel, me lo dijo cuando yo tenía casi veinte años y me consideraba ateo. Me confesó que sería la primera persona que sabría esta historia y por lo que ocurrió, sé por qué lo hizo de ese modo. Fue su último regalo, tenía setenta años y ningún problema de salud, salvo algunos dolores lumbares, pero a los días sufrió un accidente vascular encefálico. Estuvo en el hospital dos días. El último con muerte cerebral, y falleció de forma repentina.

Tenía tres años, quizás cuatro, no más que eso. Estaba en el patio de mi casa, mi padre en el trabajo y mi madre en la cocina, preparando el almuerzo. Me encantaba el aroma del pollo cocinándose en el horno.

Jugaba con unas hormigas cuando apareció un señor muy bello y de blanco. En ese tiempo, hijo, yo no sabía de Dios ni de la Virgen ni de ángeles ni de nada. O quizás lo sabía, pero nadie me había enseñado nada o no lo recuerdo.

El señor se acercó y me sonrió y yo le devolví la sonrisa, porque su sonrisa era muy bella.

—¿Qué es lo que quieres, hija mía? —eso me preguntó con una voz muy dulce, sabía como a manjar o a mermelada de frutilla casera.

—Quiero jugar, señor —le respondí. Entonces él se sentó al lado mío y jugamos juntos. Jugamos mucho rato, o eso fue lo que me pareció, y cuando empezaba a aburrirme, él de alguna forma lo supo y colocó sus manos en mi cabeza, así como lo hago yo ahora contigo. —Y eso hizo mi abuela con sus manos delgadas—. *Vi muchas imágenes, algunas hermosas como mi hija o como tú, y otras terribles, como la muerte de quien fue mi esposo.*

En ese momento yo tuve que haber hecho una mueca de incredulidad, porque me miró, se detuvo un momento, como pensando si continuar o no, aún con sus manos en mi cabeza, haciéndome cariño.

En ese momento no supe lo que estaba haciendo ese señor, que ahora creo fue un ángel, mi ángel de la guarda, pero me estaba regalando visiones de mi futuro. Todo lo que vi se ha cumplido. —Guardó silencio unos instantes—. *Si es un regalo de Dios, sus regalos no son como los nuestros, son fuertes y peligrosos. Si uno cree en Él, sirven de consuelo; y si una duda como yo lo he hecho muchas veces, duelen como dolió la partida de tu abuelo.*

Luego de eso, cambió abruptamente de tema. Con el tiempo, creo que ella sabía que moriría pronto, por eso me reveló su secreto y ahora que tengo casi la edad que tuvo ella al partir, también tengo ese don. Tuvo que habérmelo regalado cuando tomó con sus manos mi cabeza. En ese momento no sentí nada, pero el día de su funeral, llorando cuando bajó el ataúd a la tierra húmeda, cerré los ojos, y también vi mi muerte y vi a la que sería mi esposa y a mi hijo; vi el accidente que me dejó inválido y vi cosas bellas como la primera vez que tuve a mi mujer tan de cerca, cuando la besé en nuestra primera cita o cuando sentí esa noche su perfume; y cosas oscuras, como el día que me asaltaron y un joven de no más de quince años me golpeó en el suelo hasta que me rompió dos costillas y en su cara estaba Dios escondido y algún demonio reía cuando él lloraba.

Sé que se acerca mi final y sé que quiero mucho a mi nieto. Tiene diecinueve años y vivirá más años que yo, lo he visto. Le contaré esta historia cuando almuerce este sábado conmigo en mi casa y le prepare pollo al horno, porque sé que le encanta y devolveré el don que me fue regalado.

DESENCUENTRO

Mi vida cambió cuando mi mujer murió. Tengo cuarenta y dos años, viví con Francisca desde los veintisiete hasta que un accidente aéreo en una avioneta estrellada al pretender aterrizar terminó con la vida de ella, del piloto y de los otros tres pasajeros.

Hoy es veintiocho de noviembre y hace exactamente cuatro años fue su partida.

Creo que enloquecí, no lloré sino hasta el día después del funeral. Me cuesta recordar qué ocurrió cuando llamaron a mi teléfono para informarme del accidente y no podría asegurar qué hice la primera semana desde su muerte.

Fue un jueves, el sábado o domingo de la semana siguiente busqué por Internet todos los libros de ocultismo que pude encontrar y compré diez, busqué en redes sociales a espiritistas y concerté tres sesiones con ellos.

Quería verla, hablar con ella y decirle que la amaba y que quería estar a su lado. Si la encontraba en algún lugar, asumía que podría estar con ella.

No podía descansar, era una tortura. Fui a una farmacia para que me dieran pastillas para dormir. Cuando no me quisieron dar nada sin receta médica, conté que mi mujer había fallecido en un accidente aéreo hacía pocos días y me quedé quieto. Me vendieron las pastillas. Llegué a mi casa, tomé varias y dormí catorce horas.

Desperté y fui a mi primera cita con un médium, resultó un fiasco. No me contacté con ella y cuando me di cuenta que era un farsante, me levanté de la mesa, se la arrojé encima y me fui. Había pagado por adelantado, cuestión que no volvería a hacer.

Llegaron algunos de los libros que compré y los leí. Confirmaron mi idea. Se podía tener contacto con personas fallecidas y el tiempo era factor: si la muerte era reciente aumentaban las posibilidades de contacto.

Compré una caja de botellas de ron. Ese era mi alimento, sumado a la comida chatarra que encargaba a domicilio.

Al día siguiente, segunda cita con un médium y segunda decepción. Esta vez no tiré la mesa, lancé el cirio que estaba en la mesa a la ventana y aunque quería que se incendiaran las cortinas, al menos rompí el vidrio.

La tercera vez tuve suerte y hubo contacto, fue un sábado por la tarde. No tengo nociones muy claras de cómo transcurrió esa semana, pero llegué a la consulta y el médium era distinto, por teléfono sólo le había dicho que quería contactarme con un ser querido fallecido, cuando llegué, me saludó y lo primero que me dijo era que Francisca me estaba esperando. Cuando me dijo eso, yo asentí, le apreté fuerte la mano, ingresamos a su cuarto de atención y nos sentamos.

—Francisca me aviso que vendrías hoy —me dijo el médium.

—La amo y quiero verla —esa fue mi respuesta.

—Yo la puedo ver y la escucho, pero tú sólo podrás verla cuando mueras como ella.

—Eso quiero. —Lo miré fijamente.

—No puedo participar en esto. —Se levantó. Cuando lo hizo, tomé un revólver que tenía en mi chaqueta y me disparé en la sien derecha.

La pude ver, pero ella no a mí. Le hablé y ella movía su cabeza hacia dónde yo estaba, pero tampoco podía escucharme. Así estuve hasta hace muy poco. Ella partió, se fue, no la puedo ver. Se la llevaron y no sé cómo volver a encontrarla. He pensado dispararme de nuevo para estar con ella, pero sé qué no funcionaría y hay una luz que apareció, pero no quiero verla.

SOMBRA

Descubrí mi sombra. Hay quienes viven toda su vida moviendo la cola, comiendo del suelo y jamás llegan a comprender que su sombra es parte de ellos; eso me figuro que podría pensar mi nuevo cachorro cuando lo saco a pasear.

OLVIDO

No es extraño entre cantantes la pesadilla de estar en el escenario y quedar afónico en medio de una canción o que el público se vaya a mitad de un concierto o variaciones como ésas. Soy cantante. Ese sueño lo he tenido algunas veces, en especial al inicio de mi carrera y se hizo realidad hace un semana.

Estaba en la mitad del concierto, uno más de la gira, uno bueno, nada particular, y en medio de una canción quedé en blanco y no recordé nada. El coro ayudó bastante, el público lo mismo, pero no pude seguir cantando porque olvidé todas mis canciones.

Al día siguiente al despertar quise cantar alguna de mis canciones y había olvidado todas, las melodías las tenía, pero las letras no estaban y me aterré.

Me levanté rápido. Antes de ducharme le pedí a mi agente que obtuviera una cita con el mejor psiquiatra de la ciudad para que me atendiera lo antes posible al precio que fuese.

Eso ocurrió. Llegué a la consulta, el médico me conocía y había visto en las noticias lo de mi show fracasado de la noche anterior, así que cuando le conté lo ocurrido, no se sorprendió.

—¿Primera vez que le ocurre? —me preguntó.

—Primera vez, y esta mañana quise recordar las letras de mis canciones y no recuerdo ninguna y hasta ahora no logro recordarlas —respondí.

Me hizo algunas pruebas de memoria básicas, y según su opinión, presento una actividad neurológica normal.

Le agradecí su tiempo y me fui a la habitación del hotel donde me he hospedado las dos últimas semanas por la gira.

Suspendí los conciertos de la semana, pero no puedo seguir así. Me he hecho resonancias y otros estudios y ninguno indica alteración cerebral. Me encuentro en buen estado de salud física y mental, sólo ocurre que he olvidado las letras de mis canciones.

El día de mi último concierto, a punto de ingresar al escenario, recordé el pacto. No recuerdo bien por qué, si estaba funcionando hace más de una década a mi total satisfacción. Creo que se obligó a que nunca perdiera la voz y ahora que rememoro bien ese momento, nunca acordamos nada sobre las letras.

AHORROS

—¿Puedes moverte?

Eso fue lo primero que escuché, era una voz rasposa y lejana. Intenté mover mis extremidades y lo pude hacer, pero cuando quise responder, no me salió la voz y no veía nada. Abrí los ojos y se llenaron de polvo o tierra. Estaba en un quinto piso y ahora estaba bajo tierra, literalmente.

Intenté inspirar profundo y al hacerlo aspiré polvo, tuve arcadas y algo se aflojó en mi garganta y pude gritar; grité y escuché voces que me pedían quedarme quieto y me aseguraron que me rescatarían.

Como no tenía absolutamente nada qué hacer, me quedé dormido. Alguien me dijo que me mantuviera despierto, pero no le hice caso. Si se demoraban en el rescate, asumí que gastaría menos energía dormido que despierto.

Sonó un taladro y me despertó. No sé cuánto tiempo dormí, pero lo hice porque soñé, soñé con mi rescate, así que me tranquilicé y esperé el resultado.

Al día siguiente en el hospital, me enteré, a través de uno de los rescatistas que me visitó, que se demoraron dos horas desde que me escucharon hasta que pudieron rescatarme. Le pregunté cuántos sobrevivientes encontraron en mi edificio y me respondió que hasta el momento yo era el único y cuando lo supe, fingí que me dormía hasta que lo hice realmente.

Cuando desperté era de noche. Tomé el control remoto y encendí el televisor. Catástrofe, miles de muertos, cinco ciudades destruidas y escasos sobrevivientes en una zona que abarca la cuarta parte del país.

En cierto sentido me siento afortunado, cuando se derrumbó el quinto piso, acababa de dispararle a mi asesor financiero. Hace meses sospechaba que me había estafado y hace dos días lo había corroborado sin margen de dudas.

Invertí absolutamente todos mis ahorros en las criptomonedas que me indicó, las que me exhibía en sitios web que fueron creadas por él para simular movimientos ficticios. En resumen, no tengo nada. Así que le disparé, pero fallé; nunca he asesinado a nadie, le apunté a su estómago y aun así no acerté; y cuando se aproximaba a golpearme, mientras yo trataba de dispararle otra vez, se derrumbó todo. Vi cómo se derrumbó el techo del piso superior sobre su cabeza y si no murió en ese instante, en la caída tuvo que hacerlo.

Soy un cuasi homicida anónimo y arruinado económicamente. Lo primero cambiará pronto, confesaré al salir del hospital mi intento de homicidio a la policía y así tendré un par de comidas diarias y un lugar donde dormir.

FLORES DE INVIERNO

—¿Cómo flores de invierno, a eso te refieres? —me dijo Alejandra con su pelo tocando mi pecho.

—A eso me refiero, amor, cuando te digo que aún podemos hacer el amor como lo hacíamos hace veinte años, no tan seguido y no por tanto tiempo, pero podemos.

Su carcajada me hizo reír, como no reía hace meses. Desde que me diagnosticaron con un cáncer en estado tan avanzado, pronosticándome cuatro meses de vida, los momentos felices son escasos.

De esos cuatro meses he recorrido tres. Me imagino en un estadio sin público, corriendo los últimos metros de un maratón y sólo mi mujer esperándome en la meta.

No le he dicho a ella nada de todo lo que pienso al tener por compañía cercana a la muerte y trato de no mostrarme triste, basta con que vaya a morir. Juramos estar siempre juntos y seré yo el que rompa esa promesa en unas semanas.

He tenido tiempo para ordenar algunas cosas que nunca consideré demasiado relevantes y ahora menos, pero me mantienen ocupado.

A horas del final, el hecho de estar ocupado de banalidades hace que el tiempo transcurra más rápido y en ocasiones por mis dolores quiero apresurar el paso, pero la mayoría de las veces, en especial cuando veo los ojos de mi mujer, quiero que el tiempo sea eterno y sé que esto último no nos es concedido.

Esto será lo último que escriba, porque es insufrible el dolor que siento en las manos y el médico me ha recomendado que repose. Cuando me lo dijo y le respondí que me serviría como anticipo del reposo eterno, me miró severo y no me dijo nada y yo guardé silencio; de todos modos el que moriría pronto sería yo.

Flores de invierno.

Salí ayer de mi casa. Hay una pequeña escalera a la entrada y casi me fue imposible bajar y subir, aun con muletas. No podré salir más, pero alcancé a recoger una flor como cuando éramos novios y no teníamos dinero e iba por los parques y elegía alguna para ella y se la entregaba antes o después de acostarnos.

Sé que una está entre las hojas de uno de los primeros libros que le regalé en nuestra biblioteca. La amo y no temo al dolor que ya sufro ni a la muerte que se acerca y que siento más presente que la vida. Tengo sí terror al pensar que quizás no volveré a verla, y eso seguro no se lo diré en estos pocos días del invierno que me quedan.

FANTASMAS

Veo fantasmas, no son como los de las películas, parecen personas como yo o como cualquiera. La única diferencia son los ojos, que huelen a infierno y que anidan demonios. La primera vez que lo supe fue a mis quince años. Estaba en la calle con unos amigos, era de noche, pero no muy tarde y apareció un fantasma, cuchillo en mano quiso asaltar a una mujer de unos cincuenta años a unos metros de donde estábamos nosotros. La tomó por el cuello de frente y el cuchillo en su estómago. Ella gritó y lo golpeó con su puño izquierdo y él empujó su cuchillo y lo subió para después sacarlo ensangrentado. Corrió sin llevarse nada, fuimos hacia ella, un amigo se sacó su polera y apretó fuerte el estómago de la mujer. Alguien, no sé quién, llamó a una ambulancia y supimos al día siguiente que se había salvado.

Cuando el asaltante corría, en un momento se dio vuelta y lo miré. En sus ojos no había vida, parpadeó y vi demonios, parpadeó y era él otra vez.

Veo fantasmas que llegan y se van, se apoderan de las personas y las dejan secas. En mi trabajo se quedan para siempre en ocasiones.

Soy psicólogo y trabajo en un centro de reinserción con adolescentes en riesgo social, muchos de ellos ya son clientes habituales del sistema de justicia penal, algunos han sido abusados desde antes que tengan conciencia de ello, otros han arrebatado la vida de víctimas reales o lo han hecho en defensa propia; todos arrastran culpas y todos han sido fantasmas y algunos lo serán hasta que mueran o tal vez para siempre.

Pero lo peor no ocurre en mi trabajo, ni en los tribunales cuando veo a verdugos simulando ser jueces y a carceleros disimulando ser fantasmas, lo peor son las mañanas, cuando salgo de la ducha y me miró en el espejo y en el espejo los veo. Se quedan conmigo y me miran y me piden que los mate y a veces les hago caso y a veces cierro mis ojos y al abrirlos me vuelvo a ver.

Hoy conoceré a dos nuevos jóvenes que fueron detenidos ayer por consumo de drogas en la vía pública, falta no tan grave; y por haber reducido a un niño de nueve años para quitarle su mochila casi al llegar a su escuela, cuestión que los puede mantener en el sistema por años y que sí es grave. En la mochila había una navaja que tenía rastros de sangre y en la casa del niño encontraron dos adultos muertos. El policía que halló los cadáveres me mostró las fotografías que tomó en el sitio de los hechos, nadie muere de forma natural con más de veinte puñaladas, y uno de los asesinados tenía los ojos abiertos y aun en el papel pude ver mis fantasmas.

He pensado últimamente en renunciar y dedicarme a lo que sea, luego recuerdo las cuentas por pagar y los avisos de vencimientos de créditos que llegan a mi correo y se multiplican los llamados de las empresas de cobranza y continúo. Sé que terminaré cuando me mire una mañana en el espejo y vea fantasmas y cierre los ojos y los siga viendo, o cuando vaya en auto a mi trabajo y en el espejo retrovisor me sigan acompañando.

Lo sé porque mi dupla en el centro donde trabajo ve fantasmas al igual que yo y ya no deja de verlos. Ayer me llamó de madrugada, llorando. Me dijo que estaba en un bar y que no se acordaba de cómo había llegado a ese lugar y que tenía sus manos fracturadas y con sangre y había un señor de edad avanzada en el suelo gritando con la cara destrozada. Llamaría a la policía luego de terminar de hablar conmigo, eso al menos fue lo que me dijo. Son las diez de la mañana y aún no llega. No quiero ir a la cocina por un café, porque hay un espejo y hoy no me he visto reflejado en nada.

Cuando me levanté por la mañana, no fui a ducharme, sólo me vestí y acá estoy en el centro de reinserción sentado en mi escritorio con los expedientes de los dos jóvenes abiertos y tomando notas sobre los planes de intervención que tendré que redactar antes de pedir que el tribunal los apruebe en la audiencia que se fijó para mañana a primera hora.

Anoche, cuando estaba por dormir o quizás ya dormido, antes que me despertara el llamado de mi colega, con los ojos cerrados sólo vi oscuridad y fantasmas. Me han hablado esta mañana en susurros y se han burlado de mí. Llegó mi día, y no quiero verlos aunque sé que ya soy uno de ellos.

Trabajo extra

Soy drogadicto. Comencé con alcohol y cigarrillos estando en la escuela y al finalizarla ya había probado todo el catálogo de drogas blandas y duras, bastantes.

Conocí a un chamán en mi primer año de universidad, para ser preciso, un adicto que se autodenominaba así y con él probé aún más alucinógenos. Dejé de frecuentarlo cuando fue detenido por múltiples denuncias de violación y por las noticias me enteré que fue condenado a veinte años de presidio.

A los veintidós años dejé la universidad y me fui al extranjero. Viví hasta los treinta en cuatro países, cuando mi visa de turista estaba por expirar, tomaba un bus y viajaba al país vecino. Volví a mi país hace algunos meses.

Acá estoy trabajando como obrero de la construcción gracias a un amigo que es capataz para una inmobiliaria. No he dejado las drogas.

Nunca trafiqué hasta hace dos días, en el trabajo un compañero que sabe de mis gustos me preguntó si estaría interesado en aumentar mis ingresos y le dije que sí.

—¿Nos juntamos en el bar El Quijote el sábado a las nueve? —me propuso al salir del trabajo. Al día siguiente tenía mi primer encargo y ayer domingo tenía el equivalente a lo que gano en una semana en la construcción, por sólo llevar un paquete en mi auto hasta un pueblo cercano.

Vi que mi compañero tenía veinte o quizás treinta de esos paquetes cuando me entregó sólo uno el sábado por la noche, y esta mañana me pidió que lo acompañe después de la jornada para buscar otro encargo, y eso haré.

Iré con el mismo bolso que usé en mi primer trabajo extra y llevaré la navaja que me regaló el domingo mi primer cliente.

LA BARCAZA

Una sola vez la barcaza no llegó y cuando lo hizo nos asustó a todos…

Así comenzaba mi abuelo esta historia. Cada vez que nos reuníamos en almuerzos familiares, los más pequeños pedíamos que nos contara qué ocurrió con esa barcaza, cuando ninguno de nosotros sabía muy bien qué era una barcaza, mientras los adultos nos miraban de tanto en tanto y conversaban temas de adultos.

Ahora soy uno de ellos, y esos temas de adultos son aburridos, predecibles, una continuación interminable de trabajos, proyectos, éxitos fútiles y fracasos absurdos, prefiero las historias que nos contaba mi abuelo cuando éramos niños, eran más reales que los diplomas, reconocimientos y que los créditos hipotecarios que nos mantienen sobreviviendo.

…donde viví hasta mis veinte años cuando tomé mis pocas pilchas y me vine a esta ciudad. Aquí conocí a su abuela. Sólo llegaba al pueblo mercadería cuatro veces al año, a veces tres….

«¿Y no había supermercados, abuelo?». Siempre se presentaba la misma pregunta, a veces parecíamos un coro cuando le preguntábamos cómo podía haber algún lugar sin supermercados. A esa edad, ninguno de nosotros, como buenos niños citadinos, concebíamos un lugar sin centros comerciales o farmacias y no creo que hubiésemos entendido la diferencia entre una ciudad y un pueblo. Prometo no volver a interrumpir a mi abuelo.

…A los marinos le preguntábamos cuándo recalaría la barcaza y esperábamos ansiosos su arribo, al menos un par de días antes de la fecha que nos daban. Cuando llegaba si lo hacía de madrugada, apenas despuntaba el sol íbamos y podíamos los más pequeños entrar a la nave y nos daban leche caliente con chocolate como desayuno y podíamos ver películas mientras los más grandes descargaban la mercadería y el combustible.

Eso fue así hasta el día que me fui del pueblo. Pocas veces he regresado y la última vez a pocos reconocí y menos fueron los que se acordaban de mí cuando tenía la edad de ustedes.

Siempre llegaba la barcaza cuatro veces al año, salvo una vez, tenía yo trece años, así que recuerdo muy bien lo que ocurrió. El domingo por la noche era la recalada y la barcaza no llegó. Nos dijeron que era por las mareas y tormentas, a veces por ello se retrasaba, pero nunca más de algunas horas y jamás un día completo, y luego fue lunes y martes y miércoles y nada. Los marinos estaban asustados, primera vez que los veía así y tal vez los vi no tanto como niño sino como el adulto que iba a ser, los vi como adultos que mandaban y aun así no sabían qué hacer y eso me extrañó.

Llamaban por radio, pidieron que otra embarcación iniciara labores de búsqueda y así pasó la primera semana y la segunda.

Los víveres en el pueblo estaban escaseando, pero eran otros tiempos, si se acababan las conservas, teníamos manos para cazar animales y pescados a unas millas de distancia. De hambre no nos moriríamos por no tener unos meses los alimentos de la ciudad, pero la barcaza no llegaba y los marinos que se mostraron nerviosos los primeros días ahora estaban asustados y ya no hablaban con nadie del pueblo, sólo entre ellos y en voz muy baja y nadie escuchaba lo que decían.

A la tercera semana, era martes, lo recuerdo tan bien como si esto hubiese ocurrido ayer y esto ocurrió hace sesenta años. Era martes y estaba lloviendo fuerte, cosa normal en invierno, hacía frío y salí a la leñera a buscar unos troncos para la estufa. Fui uno de los primeros que divisó la barcaza, entré corriendo a mi casa. Le dije a mi madre que saliera y viera la barcaza, me puse mis botas de goma y la única chaqueta que tenía y salí corriendo al muelle y llegué de los primeros.

Allí estaban los marinos, siempre saludaban a todo el mundo, pero esta vez no me miraron y tenían armas en sus manos, primera vez que los veía con fusiles. Me asusté, pero quería ver la barcaza, así que me alejé un poco de su vista y esperé.

Ese día unos pocos acampaban haciendo madera y otros, no más de diez, compraban los pocos víveres que se podían encontrar por esos años en pueblos cercanos; aparte de ellos, casi todos estábamos en el muelle, esperando que recalara la barcaza que entraba muy lento al muelle y que a mis ojos de niño era gigante con casi cincuenta metros de eslora.

Cuando recaló hubo un silencio como de cementerio, ya había ido a dos funerales a mis treces años y ese silencio sólo lo había escuchado en esos entierros. No hubo alegría como de costumbre ni gritos de los más pequeños ni hombres ni mujeres con sacos esperando bajar la carga. Era todo silencio y agua y lluvia y frío, mucho frío, fue el día más helado de ese eterno invierno.

El capitán de puerto entró a la barcaza solo, no se veía en cubierta ningún tripulante. Sentí admiración por él, hasta que escuchamos un grito que salía de la barcaza, desde toda la barcaza. Sentí pánico y supe que había muerto, y así fue.

Subieron luego todos los marinos y cinco de los hombres más viejos del pueblo y se perdieron en la cubierta y hubo gritos, menos fuertes que el del capitán, pero más largos, pensé que fueron diez o quince minutos. Mi mejor amigo, que se quedó conmigo hasta el final, me dijo que no fueron más de tres, así que no sé cuánto duró ese terror, pero fueron muchos minutos, nadie en tierra se movió y supe que también habían muerto.

Luego de los gritos, un silencio aún más profundo que el anterior, era más negro y de algún modo extraño penetraba más en los oídos y de ahí al alma. *Porque aunque digan que los ojos son los espejos del alma, me he dado cuenta con los años que los oídos lo son, entran voces, gritos, ideas y en ocasiones te ordenan hacer cosas que ustedes como niños no se pueden imaginar, y uno puede siempre dejar de escuchar esos mandatos, aunque hay oportunidades en que la sangre es más fuerte.*

El silencio se quebró por otro grito, pero esta vez no vino desde la barcaza, sino de la madre de mi mejor amigo. Tomó un hacha que llevaba Joel, así se llamaba mi amigo que murió en un incendio unos años después, subió a la cubierta y gritó aún más fuerte y no encontró a nadie.

No había tripulación ni ninguno de los marinos que subieron ni los cinco viejos que hace algunos minutos siguieron los gritos como una invocación ritual, y eso es lo que creo que sucedió, fue un rito y los ritos hay que cumplirlos, vivir o morir dentro de ellos, porque esos actos que ocurren en escasas ocasiones nos convierten en lo que somos.

Ese día, por primera vez y última, recaló la barcaza sin víveres y nadie en ese momento lo mencionó, ni los más pequeños de nosotros, que queríamos siempre subir y tomar leche con chocolate a la hora que fuese.

A los días, tres o cuatro, recaló otra barcaza, la que pretendía rescatar a la perdida, llegaron y no nos creyeron. En esos tiempos antiguos sólo en un periódico de la capital regional apareció una breve nota sobre lo sucedido. Lo único que decía era que la tripulación de la barcaza se había perdido en un accidente y que los marinos que fueron a su rescate corrieron igual suerte, y que la búsqueda continuaba. Pero era mentira, todos lo sabíamos, de los cinco viejos no se escribió nada y nunca en el pueblo conversamos de todo esto. Al final creo, ninguna autoridad oficial quiso investigar más en profundidad los hechos y se perdieron muchas vidas que ya casi nadie recuerda.

Mis primos y yo, sus nietos, siempre escuchábamos esta historia en silencio y con terror, aunque todos disimulábamos. Mis primeras pesadillas fueron con esa barcaza que me la imaginaba negra y más grande que un crucero. Nuestro abuelo, al terminar la historia, siempre nos decía que todo era un cuento, que alguna vez se lo contaron y se levantaba de su sillón e iba con sus hijos a hablar.

No creo que mis padres hayan sabido lo que nos contaba mi abuelo o quizás ellos también sabían esa historia, pero no importa, pensé que era un cuento de niño, hasta que falleció mi abuelo cuando yo tenía veinte años y revisando los muebles de su casa, en una carpeta había un pequeño recorte, de una hoja de periódico viejo que lamentablemente no tenía fecha. Podía aún leerse una nota sobre la extraña desaparición de la tripulación de una barcaza y de los marinos que fueron a su rescate en el pueblo donde mi abuelo nació.

COMISIÓN

—¿Y si tuvieras que salvar de una muerte inexorable a una de tres personas desconocidas, sin saber absolutamente nada de ellas, asumo que elegirías al azar? —me preguntó uno de los profesores.

—Así es —respondí.

—¿Y si añadimos el factor edad? —continuó.

—Salvaría a la persona de menor edad, pues sin tener a la vista ningún otro factor, tiene ella y no las otras, una probabilidad mayor de vivir una vida más prolongada y tendría así más posibilidades de servir a sus pares —respondí.

—¿Y el supuesto de su respuesta?

—El presupuesto es que hay una mayor probabilidad de que una persona cause bien antes que mal y esto está refrendado por diversos estudios —respondí recordando el Capítulo IV del manual que obligatoriamente teníamos que aprender.

—¿Y si agregamos el factor género? —siguió el profesor con su listado de preguntas.

—Conocido que sea el factor edad y género, desecharía a los que no están en edad fértil, y entre los que están, preferiría a la mujer por sobre el hombre y entre ellas, a la de menor edad por sobre la mayor.

—Perfecto —me dijo esta vez la profesora de la comisión examinadora.

—Gracias.

—¿Y si incluimos el factor inteligencia? —me preguntó ella.

—Como último criterio de distinción, opto por el de mayor inteligencia por sobre el menos capacitado, bajo el supuesto de estar en condiciones de medir ese concepto —respondí con seguridad.

Asintieron y me dijeron que sabía lo que tenía que hacer y lo hice.

Apunté al corazón del profesor de la comisión que se mantuvo en silencio y terminé con su vida. Quizás sabía las preguntas y suponía correctamente mis respuestas, por eso no me interrogó.

Mañana por primera vez formaré parte de la Comisión de Ética de esta prestigiosa casa de estudios.

CARTA

Me cambié de departamento hace un mes. Encontré trabajo en otra ciudad, así que tuve que ordenar mi ropa, vendí y regalé muebles, y revisé papeles.

Encontré una carta de amor, en esos tiempos cuando uno escribía en algún papel y no en un ordenador, y no era tan sencillo enviar los mensajes como ahora, estando todo a un clic del destinatario. En esos tiempos, estando algo borracho, sólo se podía llamar por teléfono, ahora aparte de eso, mandar mensajes por WhatsApp, lo que a veces es bueno y otras veces no tanto.

Volviendo a la carta, no la envié, después estuve de novio con ella algunos meses y terminó todo en buenos términos y nunca más la vi ni supe de ella. Se cambió de ciudad para estudiar en la facultad y yo me quedé.

Pero está la carta y en el sobre su dirección y como estoy soltero hace un año, fui a una oficina de correos, que aún existen, y en un sobre un poco más grande le envié esa carta antigua y con una pequeña nota nueva.

Hola, Carolina,

no sé si te acuerdas de mí, te escribí esto antes de ser novios cuando teníamos diecisiete años y no recuerdo por qué no te entregué esta carta. Me estoy mudando de casa y la encontré y ahora te la envío a la única dirección que tengo de ti, cuando vivías con tus padres ahí, a lo mejor te la pueden entregar si es que les llega.

Un abrazo, Jaime.

Pude haberla buscado en las redes sociales, pero como la carta era de otro tiempo, hice lo que hice, como si no hubiesen pasado más de veinte años y le dejé sí mi correo electrónico.

Olvidé el asunto una vez enviada la carta, tenía que entregar el departamento al dueño, contactar con una empresa de mudanza y firmar el nuevo contrato de arrendamiento y amoblarlo, a más de ir cerrando los procesos aún abiertos en mi antiguo trabajo.

Hace una semana estoy en mi trabajo nuevo y ayer viernes me llegó un mail de ella. Nos juntaremos en unas horas más porque vive a una hora de donde yo vivo.

Tiene un hijo de diez años, misma edad que el mío, y está separada hace dos años, uno más que yo.

No conozco a nadie en esta nueva ciudad. El fin de semana pasado estuve ordenando mi nuevo departamento y este sábado y domingo pensaba ver series en alguna página, pero ahora tengo este almuerzo.

La época del entusiasmo quizás pasó ya en mi vida, pero aun así quiero verla, alguna vez fue la única mujer que quería ver y ahora, al menos, no almorzaré solo este sábado.

SEXTO DÍA

Soñé hace seis días con el incendio de mi casa, hace cinco con la muerte de mi padre en un accidente, hace cuatro con un infarto cardíaco de mi madre en el funeral de él, hace tres con un accidente aéreo con más de cien muertos, hace dos con mi muerte por un accidente cardiovascular encefálico.

En el sexto día no ha pasado nada.

DADO

Lancé el dado, número par iría a la fiesta, de lo contrario, me quedaría viendo alguna película en mi casa.

Dos, así que fui a la fiesta y la conocí.

Se llama Francisca. Bailamos toda la noche y quedamos de vernos al día siguiente y eso hicimos, cenamos y fuimos a otra fiesta y nos besamos. La noche terminó en su departamento y sabía que podía enamorarme de ella y eso ocurrió.

Me mudé a vivir con Francisca a las pocas semanas y llevamos juntos cinco años, hemos sido felices y tiene cáncer.

El diagnóstico lo supimos ayer, cáncer metastásico, esperanza de vida un año con quimioterapia y sin ella, de tres a cuatro meses.

Antes de mudarme a su departamento, en nuestras primeras citas, le conté que gracias a un dado fui a la fiesta donde nos conocimos y hoy le diré algo semejante, lo lanzaré quizás por última vez, número par marcharemos juntos, número impar, me quedo sin ella.

Sueños compartidos

La conozco desde que éramos niños. Ella vivía a un par de casas de la mía y jugábamos por las tardes, casi todos los días.

Era tres años mayor que yo, lo que a esa edad es una enormidad, pero fue la primera mujer que me gustó.

Por cosas de la vida, dejamos de vernos por años, ella se casó y yo también, se divorció y yo lo mismo y nos volvimos a encontrar hace un año.

Hasta acá, una historia cualquiera de reencuentro de dos personas que se conocen en un tiempo y pasados muchos años vuelven a verse, se enamoran y empiezan a vivir juntos, pero hubo algo extraño y que nunca hemos contado.

Cuando la contacté por Instagram y empezamos a hablar todos los días por WhatsApp, desde ese primer día, tuvimos dos sueños compartidos.

En el primero, los dos estábamos en una playa y aparecía una ola producto de un tsunami y en vez de escapar corríamos hacia la ola y surfeábamos. En el segundo, mientras hacíamos el amor en una cabaña aparecía un oso, golpeaba la puerta, le abríamos y cenábamos, los tres, lasaña con dos botellas de vino.

Los dos nos reímos cuando yo le conté a ella el primer sueño. Me dijo que había soñado lo mismo, pero cuando ella fue la que me contó el segundo, no me reí. Le dije que también había tenido ese mismo sueño y ella me creyó.

Hace unos días me mudé a su casa y espero que vivamos por mucho tiempo nuestro tercer sueño compartido.

UN DÍA CUALQUIERA

Se pasa frío en invierno en el campo y murió mi mujer, mi compañera de vida por más de cincuenta años, mis hijos están grandes y tienen su vida en la ciudad y estoy sin ella.

He pensado en el suicidio, pero sé que no lo haré, no sé si por cobardía o valentía, pero no lo haré. Mi mujer no lo querría así. Ya no culpo a nadie que tome ese camino, hace mucho que no lo hago, pese a lo que me enseñaron en la iglesia.

Esta mañana me levanté, me duché, desayuné y acá estoy, a media mañana sin nada por hacer. Ayer fue lo mismo y anteayer y esta semana y la pasada y así ha sido mi vida hace medio año.

Ayer abrí una lata y almorcé porotos, hoy haré lo mismo y mañana o porotos o ravioles también enlatados y ya no ceno, me tomo un té con algunas galletas a eso de las siete u ocho de la tarde y a veces la última comida del día es el almuerzo.

Hace dos semanas he empezado a asistir a un club de adultos mayores que queda a una media hora de nuestra casa, con mi mujer nunca pensamos ir, nos entreteníamos solos los dos y nos gustaba, pese a tantos años, estar juntos siempre. No conozco a nadie y no entiendo mucho cómo se pueden entretener jugando a la lotería o a las cartas cuando yo extraño la voz de mi mujer por las mañanas y por las tardes y por las noches.

Ya no hablo con nadie. Antes solíamos ir a comprar al pueblo al menos dos veces por semana y nos sentábamos en la plaza para descansar. Ahora ir a comprar es una tortura, el camino ya no me gusta y la plaza la veo tan grande y solitaria como nunca. Quizás siempre fue así, pero cuando estábamos juntos no lo notábamos.

Se acerca la hora de almorzar y no sé si lo haré, comer solo nunca fue de mi agrado. Encenderé el televisor del living y escucharé las noticias mientras barro un poco. Quiero ver a mi mujer. Nadie sabe que murió hace seis meses y está en mi cama esperándome, como siempre.

Sueños

I

Uno de mis primeros recuerdos es el siguiente sueño que tuve a los cinco años: estaba sentado en la playa, miraba a todos lados y me encontraba solo, al frente el sol y la luna juntos. Me quedaba dormido tomando un helado, despertaba y estaba en un lago con la misma luna y sol, un poco más juntos que antes. Me dormía y despertaba por última vez, en un monte; ahora el sol y la luna estaban tan cerca que los veía como una sola esfera.

II

A los quince años tuve el mismo sueño.

III

Treinta y dos años y soñé lo mismo.

IV

Cuarenta y tres años y la invasión ha comenzado. Mi sueño no era el sol y la luna juntos, eran dos naves gigantescas, una plateada oscura y otra brillante rojiza un poco más grande que la primera, ambas naves de origen, hasta ahora, desconocido.

V

He soñado los últimos cinco años el mismo sueño: de ambas naves caen esporas, no puedo respirar y el negro es más oscuro que el más oscuro de mis sueños.

EL MATE DE JOSÉ

José nació en el campo, era de carácter indómito como su caballo Largo, de pelo negro como el fondo de un río nevado y cuerpo cansado por el trabajo de sol a sol, de verano a verano.

Dormía en su choza construida por él mismo hace años, en la entrada había una cocina a leña y una pequeña mesa con dos troncos a guisa de sillas; al final, su pieza, donde dormía él y su perro Estanco.

Había perdido contacto con su familia de origen, cuando su padre Alberto estranguló a su madre María casi hasta matarla, pero su cuchillo fue más rápido y certero, y del cuello de su padre manó la sangre como de una fuente recién abierta y escapó hacia la montaña al día siguiente; cuando su madre pudo balbucear algunas palabras de despedida, con un morral con sus escasas perchas, el cachorro Estanco llevado en él, y su mate, heredado de su abuelo, don Floridor, el único hombre que le entregó afecto en su vida; entre sus manos callosas y comidas por el frío, José encontró de niño algo de calidez y compañía.

Hacía tres inviernos que José no conversaba con ninguna persona. La última vez fue cuando bajó a caballo al pueblo más cercano, a comprar harina y un cuchillo, pues el filo que otrora cortara la garganta de su padre, se había roto al carnear uno de sus animales.

—Buen día, don José, gusto el mío *dencontrarlo* en mi choza.

—Buen día, don Arturo, vengo a comprarles un cuchillo de los largos y dos quintales *derina*, pa' pasar el invierno.

José pagó el cuchillo y la harina y no cruzó más palabras con don Arturo, salvo el último adiós al salir con sus compras.

Vadeó nuevamente el río que separaba la montaña del poblado, montó a Largo, y subió a su choza. Nunca más vio el pueblo de sus ancestros.

Hoy y como cada mañana, poco después de que la noche muriera como todos los días, Juan se encontraba cebando su mate, echándole la yerba y mezclándola con azúcar rubia, mientras su perro mordía un hueso roído por el viento y por el olvido, y la olla encima de la cocina calentaba en algo el ambiente gélido y solitario de su choza.

Estaba sentado en uno de los troncos, acariciando el mate, como si el contacto con el metal que se calentaba atrajera los recuerdos de su abuelo, don Floridor, hombre de anchos hombros y de parco semblante. Recordaba el día que su abuelo, ya casi olvidando su propio nombre y cansado por los interminables años que se sucedían, sin más novedades que las muertes que siempre acechaban los campos, le contó una historia, que José trataba de recordar todas las noches, aunque pocas veces su memoria le traía el final.

Mijo mío, lantrá de mi campo está custodiá por elijo del diablo, así me lo contó mi paire cuando tenía yo tu edá, y yo no lon creía, hasta que se me apareció una noche como esta. Tenía la barba recortá y los ojos rojos como lumbre que no se paga, pero su cara era tierna como la leche de vaca y su voz suave como hierba recién cortá.

Me dijo que cumpliría toós mis deseos si le vendía mi alma y yo le acepté el trato al cola flecha.

José no se acordaba si su abuelo le había dicho cuáles eran sus deseos, pero él creía saber la respuesta.

Tomó el mate entre sus manos y sorbió hasta el fondo el agua dulce y caliente con sabor a la mejor yerba de su vida.

Pensó por un momento que su abuelo había deseado sólo una cosa: que su mate fuera el mejor de todos, que calentara el cuerpo y abrigara el alma, que hiciera descansar a su dueño de los pesares del campo, que mitigara el hambre y ahuyentara los malos sueños, esos sueños rojos de sangre de padre, que en las madrugadas los despertaban con gritos, cuando veía los ojos de su madre suplicando que su padre dejara de ahorcarla; un mate que hiciera poderoso a su propietario, que pudiera mandar los vientos y la lluvia, que pudiera hacer de su Largo un Babieca y de su amo un caballero andante. Un mate que lo arrullara por las noches, que le hiciera sentir hombre aun cuando no tuviera mujer a su lado, un mate que le sacara sonrisas, tan escasas como lo son las esperanzas del hombre de campo.

Creyó por fin entender el cuento de su abuelo, y cuando acarició la barriga de Estanco con su mano diestra, de la siniestra su mate cayó, tocando el piso de tierra se rompió como si su destino tuviese que acabar poco después del alba.

Como hombre que era, poco o nada había llorado, y lloró esta vez José como un crío malcriado. La yerba esparcida en el suelo, el agua en la olla gritando que estaba presta, pero ya sus silbidos no serían escuchados.

Lloró hasta que se le cansaron sus manos, había tratado de arreglar el mate, con saliva mezclada con la propia yerba, pero el mate había perdido su forma y no podía él ni nada remediarlo.

Hacía tres años que no conversaba con nadie, y se dijo que era el momento de comenzar una nueva vida, una vida con campos y peones, una vida con tractores y semillas.

Se dijo que era tiempo de tener más de un caballo, si se quiere una o dos caballerizas, con sementales traídos del extranjero, con aperos de cueros y cosas finas.

Se dijo que estaba cansado de su vida, de sus recuerdos, de su hambre, de su soledad que no sabía que tenía nombre y que se pronunciaba despacio cuando él dormía.

Se dijo que era hora de hacerse hombre, de cambiar de fortuna, de cambiar de aperos y cambiar de vida.

Tomó entre sus manos callosas el trozo más afilado del mate que tenía en el suelo, lo acarició pensando en su abuelo, en el cuento del diablo que ahora comprendía, y como lo hizo hace años con su padre, esta vez acercó sin miedo a su garganta el trozo del mate homicida.

Acabó así la vida de José, añorando a su abuelo, deseando cebar un último mate, viendo al final de todo, a su padre con una sonrisa.

LA CALETA Y LA PESTE

Mucha gente de este pueblo y de pueblos similares a este me han comentado que cuando sean viejos, enfermos y desvalidos, partirán caminando a los cerros hasta perderse y acá en la Caleta, tomarán una panga prestada para zarpar a la salida del sol y no volver a ningún puerto.

Había llegado la peste, tenía en todo el mundo un nombre médicocientífico, pero siempre fue la peste para los que realmente la padecieron ayer y la continúan sufriendo hoy: los miserables de todas las épocas, los que tienen carpas por hospitales, y promesas fútiles por respuestas.

Todo había acabado. El ferry que conectaba el continente con la Caleta no llegaba desde hacía tres meses, la avioneta aterrizó hacía veintitrés días y desde ese día no se movía del pequeño aeródromo. De los adultos, al día de ayer, sólo quedaban don Arturo, el viejo almacenero, su señora y él; los niños habían partido hacía semanas, era mejor no estar seguro dónde estarían en estos momentos.

Tenía la Caleta para él solo, la que lo vio crecer, la que lo vio zarpar a los nueve años cuando su madre estaba enferma y él era el único que podía llegar al otro extremo para pedir socorro, la que lo hizo hombre siendo pequeño y donde conoció a su única mujer. La misma donde había criado a sus cinco hijos y donde habían nacido sus siete nietos.Pero la Caleta era hoy una sombra. Estaba seguro de que nunca volvería a ser como antes de la peste, aunque estaba seguro también de que nunca lo sabría a ciencia cierta. Su hora había llegado, sólo faltaba determinar cómo acabar con toda esta pesadilla. Se despidió de su mujer por la mañana, tomó un mate cargado y partió caminando al muelle, desató la panga, su última panga, comprobó que el motor funcionase y partió. Algo se olvidaba, el zarpe ante la Capitanía de Puerto, pero ya no había capitán ni funcionario que pudiera darle el zarpe desde hacía dos semanas, y supuso que aquella falta, en rigor, no sería tal, y aunque nunca había zarpado sin avisar a la autoridad marítima, como su padre bien se lo enseñó desde antes de que supiera caminar, creyó que carecía de importancia, como todo lo que había ocurrido.

Comenzó la travesía, no había comido desde ayer por la mañana, cuando su mujer partió, solo mate amargo por la tarde y la última botella de vino tinto que le quedaba en la cocina por la noche. Miró con todo su cuerpo la Caleta por última vez y la vio quizás como la verían con el paso de los años los supervivientes que llegarían a repoblarla, la vio muerta, pero con retazos de vida, la vio tal vez como cuando era niño y aún no tenía palabras en su mente, la miró como quien mira por primera vez la mujer de su vida en el reflejo de sus ojos pardos.

El viento soplaba despacio y podía respirar el olor a mar, que siempre le recordaría su hogar y las casas de sus amigos, de varios de sus familiares, de todos sus conocidos que se podían ver desde su panga. Los ojos del recuerdo lo ayudaron a ampliar la mirada cual catalejo de la memoria; quiso llorar, pero ya el llanto había perdido su poder liberador. Era libre desde el día de ayer, cuando su mujer partió a un viaje al que siempre se acude en soledad. Ya quería comenzar ese trayecto para encontrarse con ella, si ese fuere el destino de los hombres, cuestión que desconocía.

Tenía sueño y eso que había dormido unas nueve horas; tenía frío pese a que era verano y que en el cielo no se veía nube alguna y el sol brillaba como hacía millones de años y como lo haría por otros tantos más.

El mar se veía calmo. Apagó el motor y se sentó en la proa para mirar y respirar el aire marino. El azul cristalino cubría el horizonte, no por primera vez se preguntó si el agua era el origen de todo. Tales, de haber hablado con él, lo habría convencido fácilmente de ello. Se percató que llevaba el mate consigo, bebió de él, estaba frío, pero nada importaba.

Despertó y supuso que durmió todo el día, era de noche, pero ya no tenía frío. Se veía desde la popa toda la Caleta, estaba iluminada como si fuese Año Nuevo, como si estuvieran a punto de ser lanzados los fuegos artificiales, como ocurría diecisiete años atrás. Escuchó risas de niños y gritos de viejos que se llamaban como pidiendo vino, cuando ya el vino estaba a un trago de acabarse; creyó oír las voces de sus padres, que habían dejado la Caleta para siempre hacía casi tres décadas, juraría que eran sus voces. Cantaban una canción de cuna, la que solían susurrarle a su hijo cuando se quedaba en la casa de sus abuelos. Vio a su mujer cuando se dio vuelta. Estaba en la proa, le sonrió como la primera vez, cuando él bajaba del bote y ella lo miraba algo sonrojada, detrás de una canasta grande que sostenía en sus brazos de quinceañera. Entendió que el círculo se completaba y antes de cerrar definitivamente los ojos, supo con la seguridad que da la inminencia del destino que ni la peste ni la Caleta importaban, sólo importaba ella. Como la primera sonrisa que le regaló, como la primera carta que le escribió y el primer beso a escondidas que se dieron, cuando sus cuerpos querían conocerse y sus manos tiritaban por la emoción.

Mientras se preguntaba si acaso volvería a verla y la respuesta estaba a un segundo de ser contestada, cerró sus párpados y no los volvió a abrir, al menos en este mundo.

Amor 2020

Encontré hace exactamente diecinueve días unas hojas bajo la almohada de unos de mis pacientes favoritos, y después de evaluar si correspondía o no hacerlo, decidí que él hubiese querido que se conociera su historia. Les dejo lo que transcribí:

¿Y si me estuviera enamorando? Es mi amiga desde hace años. *Es inteligente, simpática, extremadamente bonita y hablamos por WhatsApp todos los días. Cuando me despierto le escribo y antes de dormir lo mismo y sé que ella hace algo parecido.*

Pero no tengo quince años, tengo casi tres veces esa edad y si me viera alguien de cerca, como a la distancia de un beso, cuestión que no ocurre hace años, estaría frente a alguien de casi cincuenta años con ojos de noventa y atisbarían un alma desastrada, si es que estuvieran así de cerca.

Pensé que, estando confinados en cuarentena por la pandemia, cada uno encerrado en su casa, a una distancia de unos mil kilómetros, sería sencillo no querer estar con ella todos los días, pero no ha sido de ese modo. Quiero verla y, si ella quisiera, besarla, pero aún no sé lo que ella quiere: sigue viviendo con su pareja, aunque me cuenta que ya no intiman, pero a quien ve todos los días es a él y no a mí, y eso me fastidia más de lo que debería.

Hace dos meses estuve casi tres días sin enviarle mensajes, siendo sincero, no quería enamorarme, lo que es un signo inequívoco de que estaba haciéndolo. Ella me escribió preguntándome qué me ocurría. Yo le dije que nunca he sido muy inteligente con las mujeres que me atraen y ella me dijo que siempre he sido con ella inteligente y seguimos conversando desde ese día todos los días como antes.

Estuve a un paso, hace un mes, de decirle que la quería, que he soñado con ella dos veces, que me duermo mirando alguna de las fotos que me envía, que me gusta su pelo castaño y su piel suave y sus labios y su voz, que es la voz más sensual que haya escuchado alguna vez. Tanto así, que ya había escrito algo parecido a esto, pero en vez de enviar el mensaje por WhatsApp, lo borré y me dormí.

Hace dos semanas me diagnosticaron la enfermedad, no podía respirar muy bien y si daba tres pasos dentro de mi casa, debía detenerme unos segundos para poder continuar. Pero le seguía escribiendo todos los días, como si respirar no fuese extremadamente doloroso, no sé por qué no le conté de mi enfermedad, quizás sea porque nunca me ha gustado molestar a nadie y menos a quien amo.

Ayer no le pude hablar, estoy con respirador artificial, no tengo mi celular a mano y gracias a un enfermero muy amable puedo tener lápiz y unas hojas en blanco. Tengo muchas ganas de escribirle, pero no sé si me dejen usar mi celular y, siendo sincero, no sé si podría hacerlo así como me encuentro. Me cuesta enfocar la vista, estoy escribiendo cada vez con letras más grandes para poder verlas bien.

Le dije que la amaba y ella me dijo que estaba enamorada de mí. Se lo dije esta mañana cuando vino a verme, no sé cómo llegó si no sabe que estoy enfermo, y menos conoce la habitación donde me encuentro internado, pero llegó. Lo único extraño es que ella no había envejecido, hace veinte años que no nos vemos, y seguía tan joven como siempre, usando la misma blusa blanca que llevaba puesta la primera vez que fuimos a ver una película al cine como amigos y pude respirar el perfume de ella, el de siempre. Cuando se fue, me besó en los labios y yo le dije que la amaba tal vez antes de conocerla, y me dijo que al despertar volveríamos a encontrarnos, como la vez que hablamos, cuando era de madrugada en la esquina de su casa y ella me susurraba al oído, cuando yo pensaba hace veinte años que de ella me enamoraría algún día.

Ella vino esta mañana desde su ciudad a verme y le pude hacer entregade estas hojas. Me autorizó para darlas a conocer a quien quisiera, siempre y cuando no revelara ningún nombre. Me dijo que este sería su último regalo para él. Pocas veces he visto a una mujer tan triste y sola como ella, y esoq ue en mi trabajo no suele abundar la alegría.Parecía de unos sesenta años y sé que tenía poco más de cuarenta solamente.

Espero algún día enamorarme como lo hizo él, uno de mis pacientes favoritos. Era muy gentil. Pese a que lo conocí solo unos días, lo recordaré por un buen tiempo.

Mañana le enviaré un WhatsApp a una amiga que no veo hace años y que solía hacerme sonreír cuando caminábamos juntos al trabajo, espero que me conteste y que se acuerde aunque sea un poco de mí, como yo me acuerdo de ella.

ÍNDICE

PRÓLOGO	7
CUENTO SIN TÍTULO	9
EL HALLAZGO	11
EL AUTO USADO	13
SEÑALES	15
EL ÚLTIMO CRUCE	17
ENCRUCIJADA	19
MI GUITARRA Y YO	21
LOS MISMOS	23
MI PLANTA	25
REUNIÓN FRUSTRADA	27
BUSCANDO LEÑA	29
NOVELA EXITOSA	31
PARA FRANCISCA	33
UNA HISTORIA PARA MIS NIETOS	35
LLUVIA	39
LLU	41
EL RANCHO	43
EL TRATO	45
EL ANTIGUO	47
¿CUENTO?	51
LA RADIO	53
LA ESCALERA	55
EL AMULETO	59
EL MEJOR CUENTO	63
VIEJA APUESTA	65
VACACIONES	67

CALENDARIO 69

VOTACIÓN 73

MADRE MARGARITA 75

PÉSIMA HISTORIA 81

UNA TARDE CON MI ABUELO 83

JUEGO EXTRAÑO 89

DESPERDICIO 91

LISTADO 93

CASA DE CAMPO 95

JAVIERA 99

INVITACIÓN 101

BOLETO DE LOTERÍA 103

EL HACHA 105

EL ESPEJO 109

EN TIEMPO REAL 111

PRISIÓN PREVENTIVA 115

ACTO DE MAGIA 117

UN DÍA EN EL CAMPAMENTO 119

EL DON 121

DESENCUENTRO 123

SOMBRA 125

OLVIDO 127

AHORROS 129

FLORES DE INVIERNO 131

FANTASMAS 133

TRABAJO EXTRA 135

LA BARCAZA 137

COMISIÓN 141

CARTA 143

SEXTO DÍA 145

Dado 147

Sueños compartidos 149

Un día cualquiera 151

Sueños 153

El mate de José 155

La Caleta y la peste 159

Amor 2020 163